共生の世界へ向かって

上のマークを活用して，社会科の学習を進めよう。

くわしくは，「学習の進め方」（12ページ）を見てね。

まなび方コーナー

見る・聞く・ふれる

読み取る

表す・伝える

D（ディー） マーク

- このマークがあるページでは，インターネットを使った学習ができます。
- インターネットを使うときは，まず，先生や保護者に相談しましょう。
- インターネットに接続するときは，下のアドレスやマークのどちらかからアクセスしましょう。

https://tsho.jp/02p/s6a/
［アドレス］

［マーク］

＊Ｄマークのコンテンツの使用料は発生しませんが，通信費は自己負担となります。

- Ｄマークリスト

＊このほかに，学習の参考になるホームページもしょうかいしています。

▶（教科名）　**教科関連マーク**

- このマークがあるところは，ほかの教科の内容とかかわりがあります。

5 年生で学んだこと　くらしをみつめる

それぞれの地域では，地形や気候を生かしたくらしをしていることがわかりました。

わたしたちの国土

世界の主な大陸と海洋

ユーラシア大陸
北アメリカ大陸
アフリカ大陸
太平洋
北半球
南半球
赤道
インド洋
南アメリカ大陸

低い土地のくらし

あたたかい土地のくらし

わたしたちの生活と食料生産

ふだん食べている食料が，さまざまな人々のくふうや努力によってつくられ，わたしたちにとどけられることがわかりました。

情報とわたしたちの生活は，深くかかわっていることを学びました。

くらしを支える

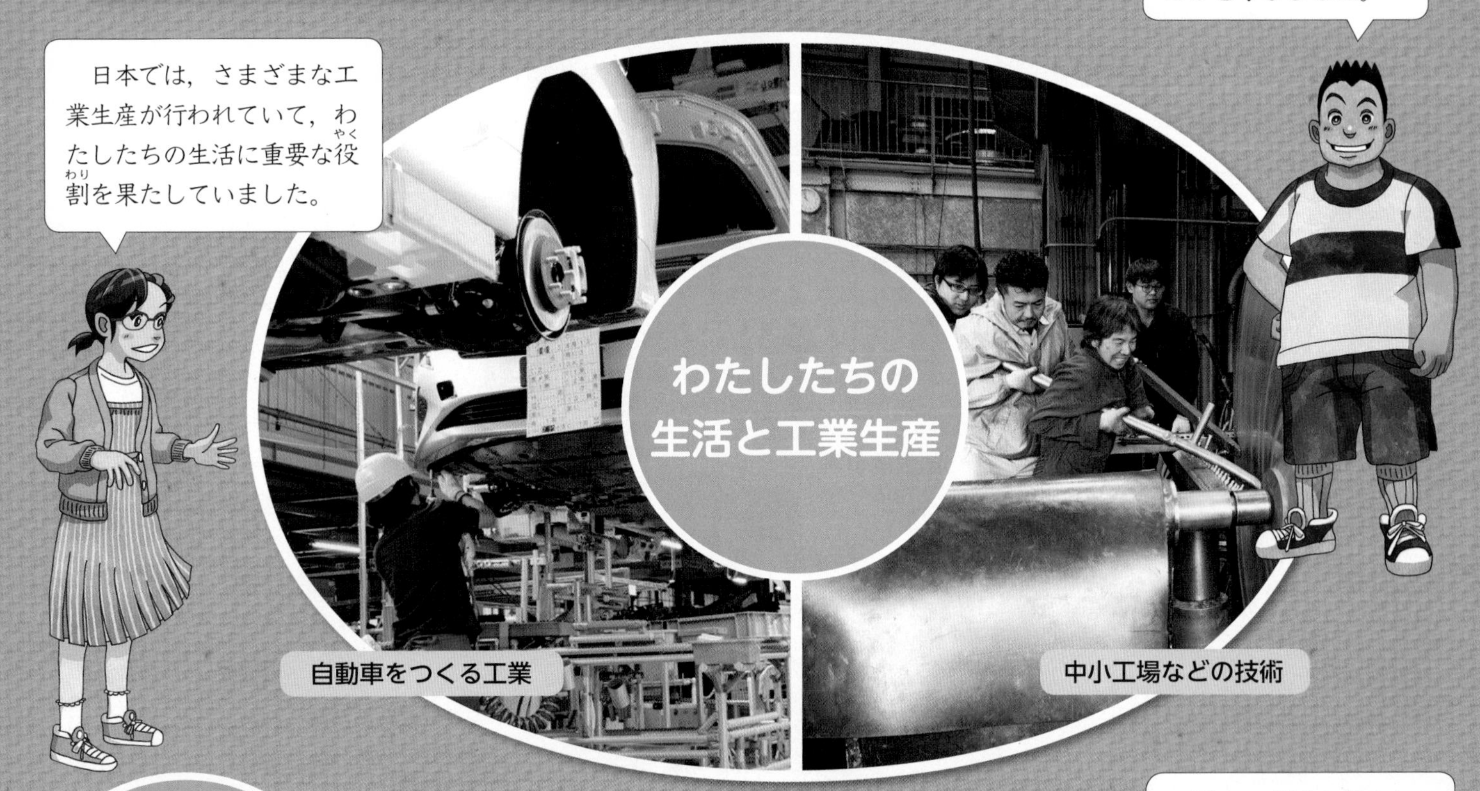
日本では，さまざまな工業生産が行われていて，わたしたちの生活に重要な役割を果たしていました。
工業生産にかかわる人々が，どのようなくふうや努力をしているのかを学びました。
わたしたちの生活と工業生産
自動車をつくる工業
中小工場などの技術

国土の環境を守るために，さまざまな取り組みがあることを学びました。
情報化した社会と産業の発展
放送局の仕事
はん売店での情報活用
わたしたちの生活と環境
森林の働き
自然災害から人々を守る取り組み
公害を防ぐ取り組み

6 年生で学ぶこと

公共の広場へようこそ

わたしたちの生活と政治

わたしたちの国の政治は，どのような考え方にもとづいているのかな。

政治の取り組みを通して，わたしたちの願いは，どのように実現されるのかな。

国会議事堂

児童センター

災害対策本部

日本の歴史

わたしたちの国で，過去にどのようなことがあったのかな。

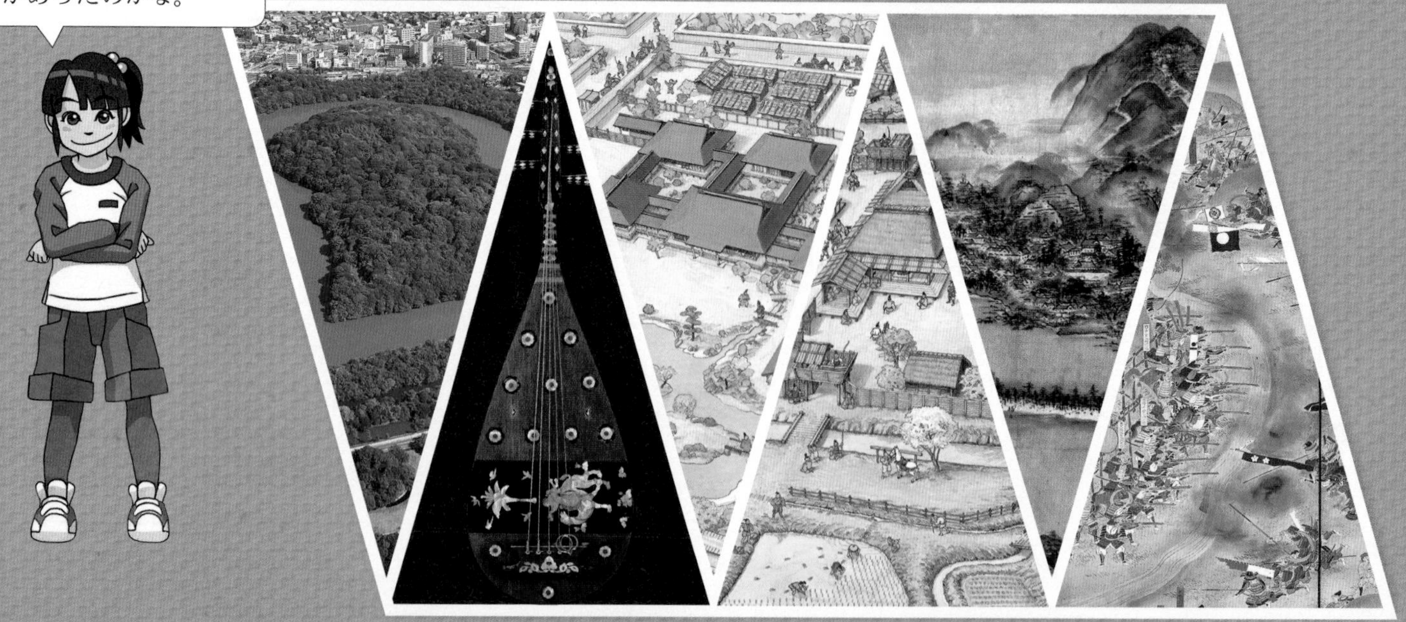

共生の世界へ向かって

世界の課題を解決するために，日本はどのようなことをしているのかな。

日本とつながりの深い国々のくらしは，どのようなものなのかな。

アメリカ・スクールバス

韓国・授業の様子

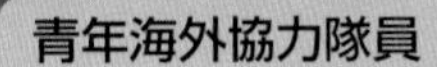

青年海外協力隊員

世界の中の日本

1 わたしたちの生活と政治

1 国の政治の中心地

わたしたちのくらしは，どのようなしくみで支えられているのでしょうか。

わたしたちのくらしを支えるしくみ

「国の政治の中心地には，首相官邸（しゅしょうかんてい）や国会議事堂があるね。ニュースで国会の話し合いの様子を見たことがあるよ。」

「国の重要なことは，だれが，どのようにして決めているのかな。」

「わたしたちのまちには，市役所や学校，児童センターなどの施設（しせつ）があるね。これらの施設は，どういう目的でつくられたのかな。」

↑2 わたしたちのまち

「災害が起きたとき，だれが，どのようにして，被災(ひさい)した人を助けたり，こわれた建物や道路などを直したりするのかな。」

まちには，いろいろな人たちが，それぞれの願いをもってくらしています。

国や市の政治は，人々のさまざまなくらしや願いと結びついて行われています。

「わたしたちのくらすまちの政治と，国の政治とは，どのような関係があるのかな。」

政治

選挙で選ばれた人たちなどが，よりよい社会にするために必要なことを決定し，実現することです。

めあて

わたしたちのくらしと政治は，どのように結びついているのでしょうか。身のまわりのことから調べ，考えましょう。

1 わたしたちのくらしと日本国憲法

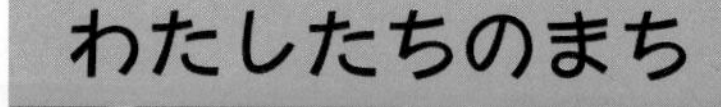

道路を走る車は，みんな左側を走るよね。
歩行者も車も，みんな信号を守って通行します。
事故が起こらないように，みんなが交通ルールを守らないといけないね。

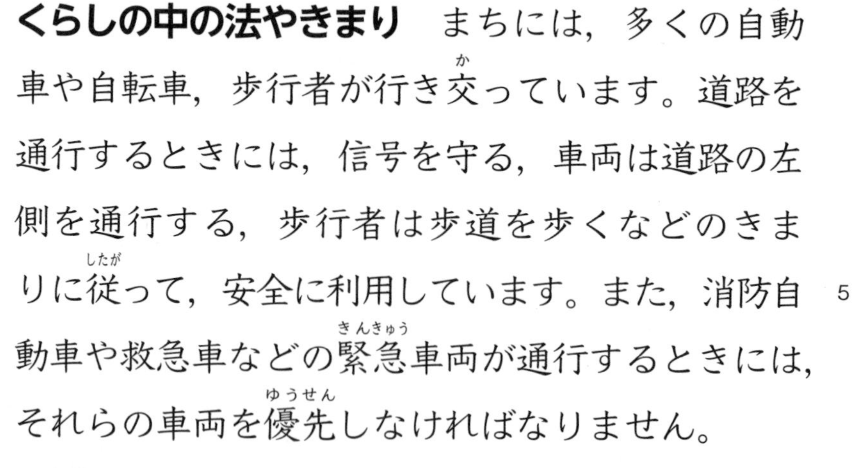

くらしの中の法やきまり　まちには，多くの自動車や自転車，歩行者が行き交っています。道路を通行するときには，信号を守る，車両は道路の左側を通行する，歩行者は歩道を歩くなどのきまりに従って，安全に利用しています。また，消防自動車や救急車などの緊急車両が通行するときには，それらの車両を優先しなければなりません。

「法やきまりは，何のためにあるのかな。もし，これらの法やきまりがなかったら，わたしたちのくらしは，どうなるのだろう。」

つかむ

日本国憲法とはどのようなものなのでしょうか。

法やきまりは，わたしたちのくらしとどのようなつながりがあるのかな。

くらしの中には，どのような法やきまりがあるのかな。

ごみの収集は，決まった曜日に行われます。もし，みんなが勝手にごみを捨ててしまったら，においやよごれが発生してしまうのではないかな。

（廃棄物の処理及び清掃に関する法律）

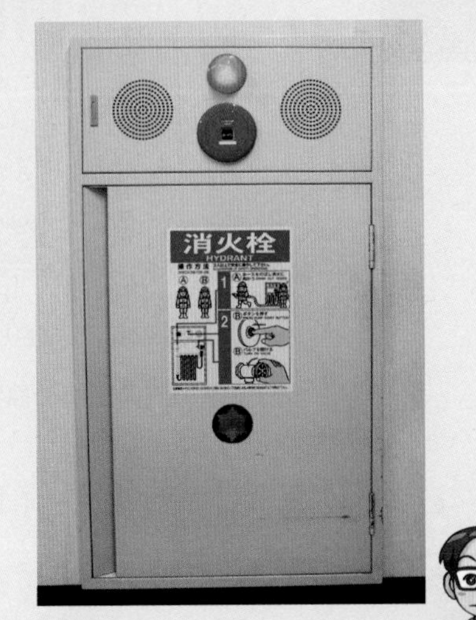

（消防法）

学校や家には，火災報知器が必ず設置されています。もし，設置されていなかったら，どうなるかな。

（京都府鴨川条例）

昔はよごれていた川が，今では市民の協力できれいになりました。きれいな川をこれからも守っていくため，きまりができたんだね。

わたしたちのくらしには，さまざまな法やきまりがかかわっており，それらは，住みよい社会を願う人々の思いからつくられたものです。

日本の国や国民生活の基本を定めたものが**日本国憲法**です。わたしたちのくらしにかかわるすべての法やきまりは，日本国憲法にもとづいています。

ことば

日本国憲法　憲法は，大きく分けて「人権の保障」と「政治のしくみ」から構成されています。日本国憲法には，前文と103の条文があり，例えば，国民としての権利や義務，国会・内閣・裁判所について書かれています。

1 日本国憲法施行を祝って東京都内を走る路面電車（1947年）

2 日本国憲法の原本　日本国憲法は，1946年11月3日に公布され，翌年の5月3日に施行されました。

3 日本国憲法の三つの原則

つかむ

日本国憲法にはどのような考え方があるのか話し合い，学習問題をつくりましょう。

基本的人権
だれもが生まれながらにしてもっている，人間らしく生きるための権利のことです。

日本国憲法は，どうしてつくられたのかな。

日本国憲法の考え方　日本国憲法は，太平洋戦争が終わり，人々が平和を願う中で，1946（昭和21）年に公布されました。日本国憲法の前文には，次のような基本的な考え方が示されています。

①国の政治は，国民の代表者が行い，政治がもたらす幸福や利益は，国民が受けること。
②主権は国民にあること。
③日本国民は，政府の行為によって再び戦争の災いが起こることのないように決意すること。

この前文の考え方をふまえ，日本国憲法には基本的人権の尊重，国民主権，平和主義の三つの原則があり，憲法の全体にこれらの原則がつらぬかれています。

くらしと日本国憲法とのつながりについて，家族に聞きました。

18才になったら，投票に行くことで，わたしたちも政治に参加するよ。

めいたちが学校で使う教科書は，無償（むしょう）で全員に配られるのよ。

自分で仕事を自由に選んで働くことも，憲法と関係があるんだよ。

駅には，目の不自由な人のことを考えたくふうがあるね。

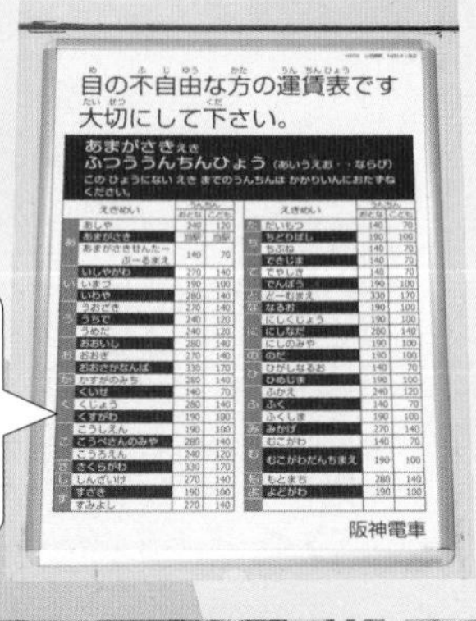

最近，市内に自転車レーンが整えられて，安全に道を使えるようになったね。

市内には，平和に関するモニュメントがいくつもあって，平和について考える機会になるわね。

兵庫県（ひょうご）尼崎市（あまがさき）に住むめいさんたちは，くらしと日本国憲法とのつながりについて，気づいたことや疑問（ぎもん）に思ったことを話し合いました。

「子どもや大人，さまざまな人々のくらしに憲法は，関係しているんだね。」

「くらしと憲法のつながりについて，もっとくわしく調べてみたいな。」

0 500km

兵庫県（ひょうご）尼崎市（あまがさき）

学習問題

わたしたちのくらしと日本国憲法の三つの原則は，どのようにつながっているのでしょうか。

4 **尼崎市内を運行するバス**　尼崎市は，だれもが乗り降（お）りしやすいノンステップバスの導入に，全国でもいち早く取り組みました。

学習の進め方

学習問題をつくり，学習の進め方を確認しよう。

つかむ

気づいたことや疑問に思ったことを話し合い，学習問題をつくろう。

基本的人権の尊重って，具体的には，どのようなことなのだろう。

子どもや大人，お年寄りなど，さまざまな人のくらしに日本国憲法が関係していることを初めて知りました。

身のまわりの法やきまりは，日本国憲法をもとにしてつくられていることがわかりました。

日本国憲法とわたしたちのくらしとのつながりをもっと調べてみたいです。

みんなでつくった学習問題

学習問題

わたしたちのくらしと日本国憲法の三つの原則は，どのようにつながっているのでしょうか。

学習問題について予想し，何について調べるかを話し合ってみましょう。

学習問題について予想しよう

- 日本国憲法の三つの原則は，市の政治に生かされているのではないか。
- 日本国憲法の考え方は，さまざまな立場の人々がくらしやすい社会をつくることにつながっているのではないか。

調べること

- 基本的人権の尊重の考え方とわたしたちのくらしのつながり。
- 国民主権の考え方とわたしたちのくらしのつながり。
- 平和主義の考え方とわたしたちのくらしのつながり。

活用のポイント

このマークを活用して社会科の学習を進めよう。

法やきまりは，わたしたちのくらしとどのようなつながりがあるのかな。

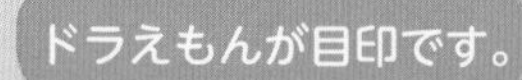

位置や広がりに着目

- どのような場所にあるのかな。
- どのように広がっているのかな。

時間に着目

- いつごろ始まったのかな。
- どのように変わってきたのかな。

かかわりに着目

- どのようなつながりがあるのかな。
- どのようなくふうがあるのかな。
- どのように協力しているのかな。

比べる，分類する，総合する，関連づける

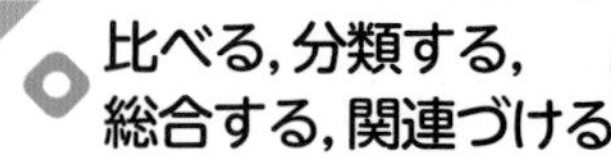

- ちがいがあるか比べてみよう。
- いくつかの種類に分類してみよう。
- 学習したことを総合したり，関連づけたりしてみよう。

調べる

いろいろな方法で調べよう。

調べ方

みんなで協力して調べよう。

教科書を使って調べる

- 教科書の本文は，大切な内容を短くまとめてあるので，そこから読んでいく。
- 写真やイラスト，地図などにのせられている重要な情報を手がかりに読み取る。
- ことばでは，そのページで大切なことの手がかりが得られるので，よく読む。

教科書以外で調べる

- 家族や自分たちの地域(ちいき)に住んでいる人たちに話を聞く。
- 関連する新聞記事や市区町村の広報誌(こうほうし)を集めて読む。
- 市役所などで話を聞いたり，手紙を書いて質問したりする。

↓2 手紙を書いて，市役所の人などに質問する。

→1 広報誌などで調べる。

→3 インターネットを使って，資料を集める。

↑4 図書館を利用して資料を集める。

ふり返ろう

- 学習内容をふり返り，それぞれの時間で調べたことを整理しよう。

まとめる

調べてわかったことや考えたことをまとめよう。

- 調べてわかったことや考えたことをまとめてみよう。
- 友だちと話し合ったり，まとめたりするときには，教科書のことばを生かそう。

まとめ方

- 予想をもとに，調べたことや考えてきたことをノートに整理する。
- 友だちと，調べたことや疑問に思ったことなどを意見交かんする。
- 調べてわかったことと自分が考えたことを分けて書くようにする。

ふり返ろう

- 自分の調べ方と友だちの調べ方を比べてみよう。
- 自分の予想がどうだったか，確かめてみよう。
- よりよい調べ方やまとめ方について考えてみよう。

いかす

学習したことを次の学習や生活にいかそう。

- 学習したことをもとに，自分の生活の中でできることを考えたり，将来(しょうらい)に向けた提案をしたりしてみよう。
- 学習したことをもとに，ほかの学習（ひろげるのページなど）にも目を向けてみよう。

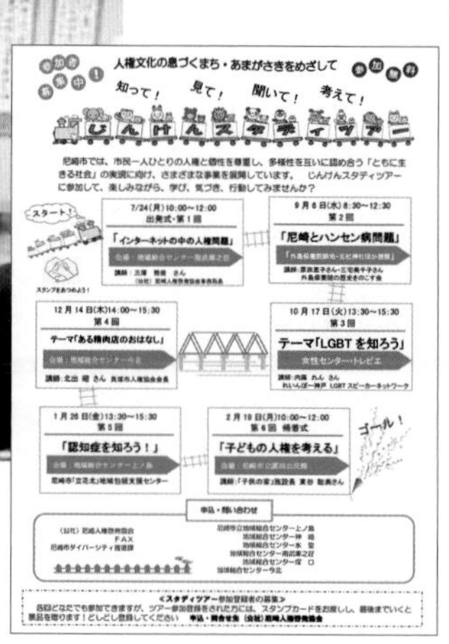

⇧⇨1 じんけんスタディツアーの様子（上）とパンフレット（右）　市役所と市内の団体が協力し，毎年さまざまなテーマについて講演会などを企画しています。

⇦2 人権標語　2016年に市民から標語を募集したところ，約6600点もの応募がありました。

⇦3 地域総合センター　市内に6か所あり，身近にある人権課題の解決に取り組んでいます。市民の交流の場として，さまざまな行事を行ったり，人権に関する相談を受けつけたりしています。

⇨4 あまがさきスタートガイド　1万人以上いる外国人の住民の生活をサポートするためのガイドブックです。5か国語で作成され，無料で配布されています。

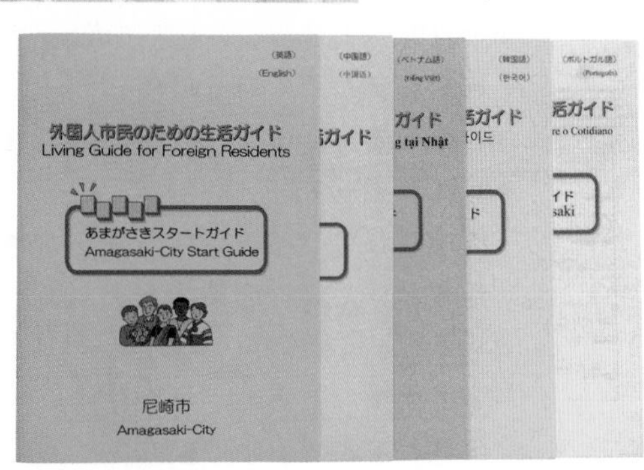

調べる

憲法の基本的人権の考えは，市や国の政治にどのように反映されているのでしょうか。

くらしの中の基本的人権の尊重　めいさんたちは，尼崎市の基本的人権に関する取り組みについて，市役所で話を聞きました。

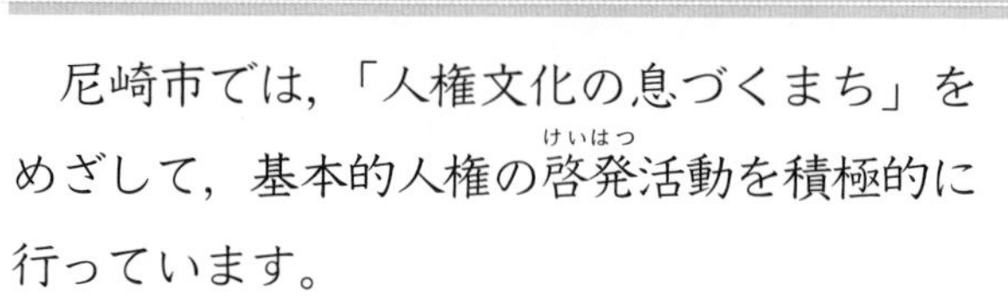

尼崎市役所の北川さんの話

尼崎市では，「人権文化の息づくまち」をめざして，基本的人権の啓発活動を積極的に行っています。

毎年，基本的人権が十分に守られていない問題などについて市民のみなさんと考えるため，「じんけんスタディツアー」を企画し，講演会やワークショップを行っています。

また，市内には，地域総合センターが6か所あり，子どもたちの居場所や地域の人々の交流の場として，大切な役割を果たしています。

さまざまな取り組みを通して，身近な人権について，市民一人一人が理解を深めてほしいと思います。

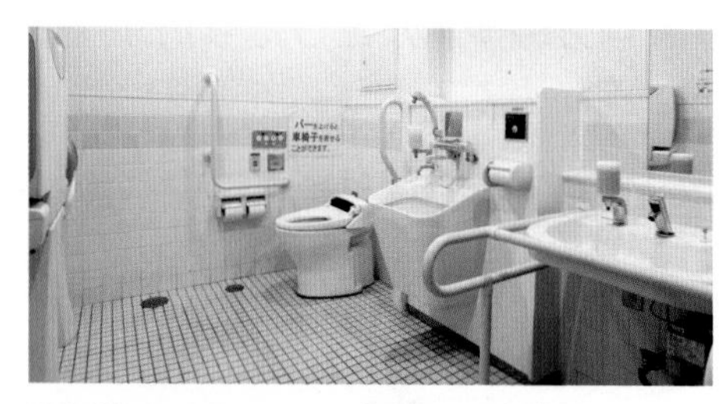

⇧5 まちにあるユニバーサルデザイン　公園にある多機能トイレは，車いすなどでも使いやすいよう，手すりなどがついています。

ユニバーサルデザイン
すべての人にとって使いやすい形や機能を考えたデザインのことです。

「学習を深めよう　日本国憲法」

●思想や学問の自由（19条，23条）

●働く人が団結する権利（28条）

●個人の尊重，男女の平等（13条，14条）

●教育を受ける権利（26条）

●政治に参加する権利（参政権）（15条）

●言論や集会の自由（21条）

●裁判を受ける権利（32条）

●仕事について働く権利（27条）

●居住や移転，職業を選ぶ自由（22条）

●健康で文化的な生活を営む権利（生存権）（25条）

↑6 国民の権利

●子どもに教育を受けさせる義務（26条）

●仕事について働く義務（27条）

●税金を納める義務（30条）

↑7 国民の義務

憲法は，**基本的人権の尊重**を原則の一つとし，上の図のように，さまざまな国民の権利を保障しています。また，憲法には，国民が果たさなければならない義務についても定められています。

わたしたちは，憲法の定める権利を正しく行使するとともに，おたがいの権利を尊重する態度を身につけるように努力しなければなりません。そして，国民としての義務を果たしていく必要があります。これらは，わたしたちが社会生活を営んでいくうえで，欠かせないことです。

まなび方コーナー

項目ごとに整理する

日本国憲法と生活との関連を考える

- 日本国憲法には，どのような権利や義務が定められているか，関連する条文を探して，じっくり読む。
- 日本国憲法に書かれている内容を権利と義務に分類する。
- 権利と義務が，身のまわりの生活に生かされている例を具体的に考えてみる。

権利と義務には，どのようなつながりがあるのかな。

ことば

基本的人権の尊重　基本的人権は，人が生まれながらにもっているおかすことのできない権利として，すべての国民に保障されています。わたしたちはだれもが，個人として尊重されます。

豊かなくらしを実現する

情報公開制度

情報を知る権利

選挙での投票

選挙で代表者を選ぶ権利

1 豊かなくらしを実現する方法

市民の意見を政治にいかすための制度（尼崎市）

まちづくり提案箱

まちづくりに対する意見をメールフォームや郵送，専用ポストなどで受けつけている。

車座集会

市長と市民が尼崎市の未来に向けたまちづくりについて，直接対話をしたり，情報の共有化を図ったりする。

市民の意見を反映させるしくみ

「自治のまちづくり条例」のような，市の重要な施策や条例などの案を考えるとき，市民に事前に内容を公表して意見を募集する。

調べる

憲法の国民主権の考えは，市や国の政治にどのように反映されているのでしょうか。

ことば

国民主権　主権とは，国の政治のあり方を最終的に決定する権利のことで，国民主権とは，国民がその役目をになうことを示しています。国民が政治に関心をもち，適切な判断をして，自分の意見を政治に反映させていくことが重要です。

くらしの中の国民主権　市役所を訪ねためいさんたちは，2016（平成28）年に「尼崎市自治のまちづくり条例」がつくられたことを知りました。

「条例の中には，市民がまちづくりに関する情報を得るとともに，まちづくりに参加できると書かれています。」

「地域をよりよくするためには，市民一人一人が行動することが大切なんだね。これを『自治』というそうです。」

「大人も子どもも，くらしやすいまちの実現に取り組むことが定められています。」

「ほかにも，市民の意見を政治に反映させるしくみがあるんだね。選挙で投票する権利は，政治に参加するための基本的な権利です。」

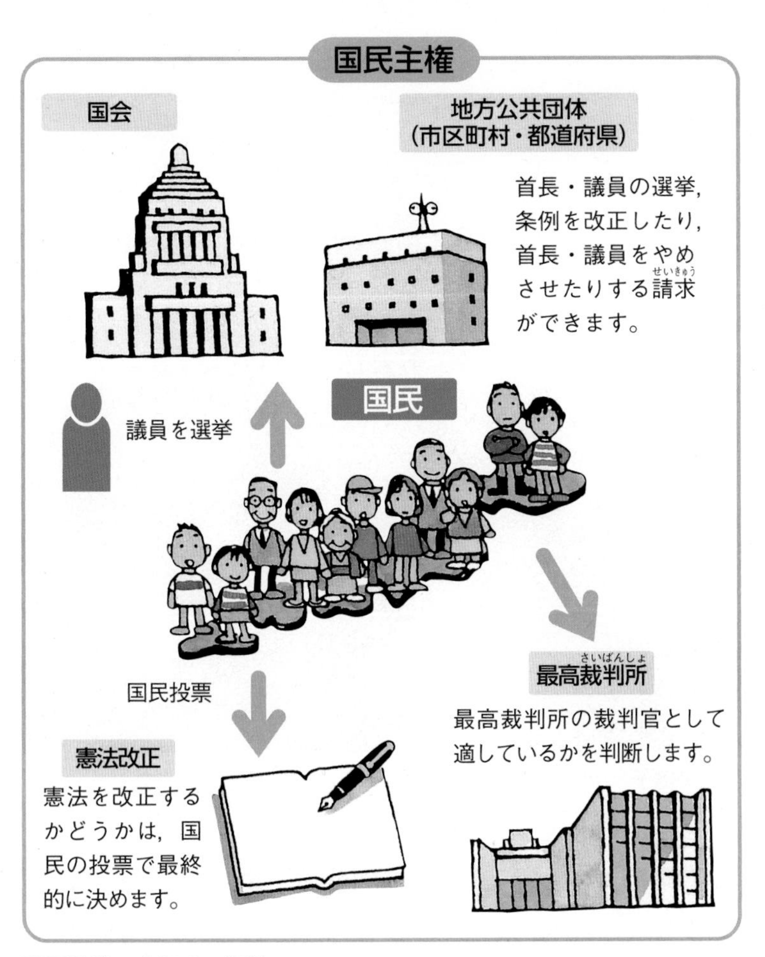
国民主権
国会
地方公共団体
(市区町村・都道府県)
首長・議員の選挙，
条例を改正したり，
首長・議員をやめ
させたりする請求
ができます。
国民
議員を選挙
最高裁判所
国民投票
最高裁判所の裁判官として
適しているかを判断します。
憲法改正
憲法を改正する
かどうかは，国
民の投票で最終
的に決めます。

②政治に参加する権利

政治に参加する権利（参政権）は，日本国憲法の三つの原則の一つである**国民主権**にもとづきます。憲法では，国の政治を進める主権は国民にあると定められており，国民は主に自分たちの代表者を選挙で選ぶことによって，国の政治を動かしています。

日本国憲法では，天皇は，日本の国や国民のまとまりの象徴（しるし）であり，政治については権限をもたないとされています。天皇は，憲法に定められている仕事（国事行為）を内閣の助言と承認にもとづいて行います。

日本国憲法前文に示された国民主権の宣言（要旨）

日本国民は，選挙で選ばれた国会議員を国民の代表者とします。

わたしたちは，世界の国々となかよく協力し合い，国全土にわたって自由がもたらすすばらしさをみなぎらせ，政府の行いによって二度と戦争が起こることのないようにすることを決意しました。

そして，わたしたちは，主権が国民にあることを宣言して，この憲法をつくりあげました。

国民の権利を保障するために，どのようなくふうがあるのかな。

天皇の主な仕事（国事行為）

- 憲法改正，法律，条約などを公布すること。
- 国会を召集すること。
- 衆議院を解散すること。
- 総選挙を行うことを国民に知らせること。
- 国務大臣を任免することや大使の信任状などを認証すること。
- 勲章などを授与すること。
- 外交の文書を認めること。
- 外国の大使などをもてなすこと。

③保育園を訪問し，園児と交流される天皇・皇后両陛下　天皇は，国事行為のほか，こうした公的な仕事を行います。

1 元浜緑地公園にある世界平和の鐘　世界平和を願い，各国のコインやメダルを集めてつくられました。年に1回，平和へのいのりをのせて鐘を鳴らします。

2 語り部活動の様子　小学生が，原爆を体験した方から話を聞いています。

調べる

憲法の平和主義の考えは，市や国の政治にどのように反映されているのでしょうか。

尼崎市　核兵器廃絶平和都市宣言（要旨）

近年の核軍拡競争は，人類の存続そのものに重大な脅威をあたえている。

わたしたちは，この愛すべき尼崎を後世に伝えていくために，世界の恒久平和を願い，今こそ核兵器の廃絶を強くうったえなければならない。

非核三原則を確認し，全世界から核兵器が廃絶されることを希求し，ここに核兵器廃絶平和都市であることを宣言する。

わたしたちのくらしの中に，平和主義は，どのように生かされているのかな。

くらしの中の平和主義　尼崎市では，原爆を体験した方たちが戦争の悲惨さや平和の尊さを伝えるために，市内の小学校などで体験を語りつぐ「語り部活動」を行っています。また，尼崎市内の地域総合センターや公民館，図書館などで，映画上映会やパネル展，絵本の読み聞かせなどを通して，平和について考える場を設けています。

戦争は，人の命をうばい，生活を破壊するだけでなく，心に大きな傷跡を残します。日本国憲法の前文には，平和へのちかいが書かれています。それは，二度と戦争をしないという国民の決意を示したものです。憲法第９条では，外国との争いごとを武力で解決しない，そのための戦力をもたないと，**平和主義**の考えを具体的に記しています。

↑3 4 平和をいのる式典（上は沖縄県糸満市，下は東京都江東区）　日本が降伏した8月15日を中心に，各地でこうした式典が開かれ，平和への思いを新たにしています。

日本には自衛隊があり，日本の平和と安全を守っています。大規模な自然災害が起きたときに，国民の生命や財産を守る活動をすることも，自衛隊の重要な仕事の一つです。

毎年，8月を中心に戦争でなくなった人々を慰霊し，平和をいのる式典が日本の各地で行われます。かつて日本は，広島と長崎に原爆を落とされ，多くのぎせい者を出しました。世界でただ一つの被爆国として，日本は核兵器を「もたない，つくらない，もちこませない」という非核三原則をかかげており，国際社会において平和の大切さや核兵器をなくすことをうったえ続けています。

日本国憲法前文に示された平和へのちかい（要旨）

わたしたちは，世界がいつまでも平和であることを，心から願います。わたしたちは，平和と正義を愛する世界の人々の心を信頼して，平和を守っていきたいと思います。

わたしたちは，平和を守り，平等で明るい生活を築こうと努力している国際社会のなかで，名誉ある国民になることをちかいます。わたしたちは，全世界の人々が，みな平等に，恐怖や欠乏もなく，平和な状態で生きていくことができる権利をもっていることを，確認します。

どんな国であろうと，自分の利益と幸福だけを考えて，他国のことを忘れるようなことがあってはなりません。

↑5 東日本大震災の被災地における自衛隊の活動（2011年）

ことば

平和主義　世界では，今も戦争や紛争によって苦しんでいる人々が数多くいます。日本人だけでなく，そうした人々も平和に安心してくらしていけるように，日本がより積極的に活動することを国際社会が期待しています。

まとめる

学習問題について調べたことを整理し，自分の考えをノートに書き，友だちと話し合ってみましょう。

学習問題を確認しよう。

学習問題

わたしたちのくらしと日本国憲法の三つの原則は，どのようにつながっているのでしょうか。

まとめの活動にことばを生かそう。

ことば

- 日本国憲法
- 基本的人権の尊重
- 国民主権
- 平和主義

① わたしたちのくらしに日本国憲法の考え方がどのように生かされているか，書き出しの例に続けて考えてみよう。

●小学校で使うすべての教科書は無償で全員に配られていて，

●わたしたちも将来，選挙で投票することによって，

●8月15日を中心に，日本の各地で式典が開かれ，

憲法
国民主権
基本的人権の尊重
平和主義
政治の主人公は国民
生まれながらの権利を大切にする
二度と戦争をしない
戦争

③ 日本国憲法がなぜ大切にされているのかについて，自分の意見をノートに書き，友だちと話し合ってみよう。

〈わたしの考え〉

② さまざまな場面で，日本国憲法がどのように生かされているか，書き出しの例に続けて考えてみよう。

南方面
For South
西出口
West Exit
北方面
For North

《駅で》

●車いすなどでも通りやすいように，

《学校や家で》

●わたしたちが，毎日学校で学習できるのは，

《まちで働く人々》

●わたしたちのまちには，さまざまな仕事をして働く人がいて，

《市役所やまちの中で》

●まちに住む外国人など，さまざまな人々がくらしやすいように，

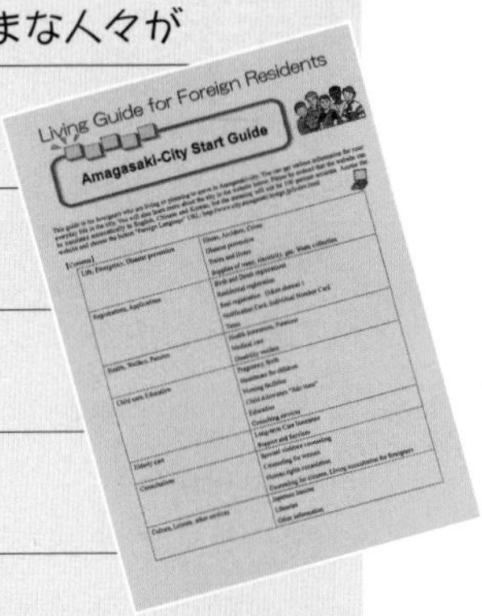

Living Guide for Foreign Residents
Amagasaki-City Start Guide

〈友だちの考えを聞いて，考えたこと〉

「平和学習の街ヒロシマ」を訪ねて

1. あの日を忘れない

広島市の平和記念公園では，毎年8月6日に原子爆弾（原爆）でなくなった人を慰霊し，これからの平和を願う平和記念式典が行われ，多くの人が列席しています。

式典では，小学校6年生の児童2名が「平和への誓い」を読み上げます。式典で読まれる「誓い」の言葉は，市内の各学校の6年生が書いた「平和の意見文」をもとに，代表者が集まった「こどもピースサミット」や平和学習を経て，みんなで考えられたものです。

➡1 「平和への誓い」を読み上げる代表者の二人

2. 未来へ —— ヒロシマからの平和発信

広島市の小学校では，広島平和記念資料館の見学や語り部の人の話を聞く活動などを通して，原爆のおそろしさや平和の大切さについて学習する機会を設けています。子どもたちも，原爆をテーマにした劇を上演したり，原爆に関する絵をかいたり，8月6日の夜にピースキャンドルを持ち寄って平和をいのったりするなどの活動を行っています。こうした活動は市民の手によって支えられています。

70数年前の悲劇を決して忘れることなく，今日もヒロシマから平和への願いが発信されています。

年	主なできごと
1945	8月6日，広島市に原爆投下
（昭和20年）	8月15日，終戦
1946	日本国憲法公布
1947	平和祭式典を実施，広島市長が平和宣言を発表
1949	平和記念公園の建設決定
1951	被爆した少年少女の手記「原爆の子」の刊行
1952	被爆のヒロシマを舞台にした映画の上映
1955	広島平和記念資料館開館
1956	「原爆の子の像」建設のための街頭募金運動始まる
1958	広島復興大博覧会開催 「原爆の子の像」除幕式
1976	広島・長崎市長が国連で核兵器廃絶のうったえ
1985	核兵器廃絶広島平和都市宣言を決議
1996 （平成8年）	原爆ドーム，世界文化遺産に登録

➡4 青空教室（1946年） 広島の人々は，食料や物資の不足に苦しみながらも，復興に向けて一歩ずつ進んでいきました。

⬆5 像の建立をよびかける募金活動（1956年） 白血病でなくなったある少女の死をきっかけに，平和をいのる像をつくろうという活動が始まり，募金を集めるために多くの子どもが街頭に立ちました。

⬆2 平和記念資料館の展示 市内の学校だけでなく，修学旅行などで全国各地から多くの見学者がおとずれます。

⬆3 8月5日に行われる碑前祭 8月6日の平和記念日の前後には，市内各地のそれぞれの碑の前でそれぞれのいのりが行われます。

⬅6 原爆の子の像とそこに刻まれている言葉 今でも全国から集まった平和をいのる折り鶴が絶えません。

「キッズ平和ステーション（広島平和記念資料館）」

平和への誓い

原子爆弾が投下される前の広島には，
美しい自然がありました。
大好きな人の優しい笑顔，温もりがありました。
一緒に創るはずだった未来がありました。
広島には，当たり前の日常があったのです。
昭和20年（1945年）８月６日 午前８時１５分，
広島の街は，焼け野原となりました。
広島の街を失ったのです。
多くの命，多くの夢を失ったのです。
当時小学生だった語り部の方は，
「亡くなった母と姉を見ても，涙が出なかった」と
語ります。
感情までも奪われた人がいたのです。
大切なものを奪われ，心の中に深い傷を負った広島の人々。
しかし，今，広島は人々の笑顔が自然にあふれる街になりました。
草や木であふれ，緑いっぱいの街になりました。
平和都市として，世界中の人に関心をもたれる街となりました。

あのまま，人々があきらめてしまっていたら，
復興への強い思いや願いを捨てていたら，
苦しい中，必死で生きてきた人々がいなければ，
今の広島はありません。
平和を考える場所，広島。
平和を誓う場所，広島。
未来を考えるスタートの場所，広島。
未来の人に，戦争の体験は不要です。
しかし，戦争の事実を正しく学ぶことは必要です。
一人一人の命の重みを知ること，互いを認め合うこと，
まっすぐ，世界の人々に届く言葉で，
あきらめず，粘り強く伝えていきます。
広島の子どもの私たちが勇気を出し，心と心をつなぐ
架け橋を築いていきます。

平成29年（2017年）８月６日

平和について考えよう

1．「平和」と聞いて思いうかぶことを話し合おう。

2．「平和」を築くために自分たちができることを考えよう。

→7 **原爆ドーム**　平和都市広島のシンボルで，国内外から多くの人がおとずれます。世界遺産

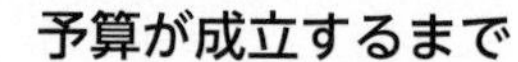

予算が成立するまで

予算とは，１年間の収入や支出について計画を立て，議会で認められたものです。

〈文部科学省〉
教育に関する予算がほしい。

〈国土交通省〉
道路を整備するための予算がほしい。

〈厚生労働省〉
医療や年金を充実させるための予算がほしい。

内閣で予算を作成

それぞれの省庁の計画をもとに内閣で話し合い，予算をつくります。

提出

衆議院

審議

予算委員会，公聴会，本会議などで話し合われます。

可決

①予算委員会の様子

②本会議の様子　本会議で可決・成立した予算は参議院に送られます。

2　国の政治のしくみと選挙

調べる

国会の働きについて調べて整理したことをもとに，最後に一文で説明しましょう。

③国会議事堂　憲法第41条は，「国会は，国権の最高機関であって，国の唯一の立法機関である。」と定めています。

国会の働き　国の政治の方向を決めるのが，**国会**の重要な仕事です。法律をつくることができるのは，国会だけです。国会での話し合いは，選挙で選ばれた国会議員によって進められます。

国会には，衆議院と参議院という二つの話し合いの場があり，国民の生活にかかわる法律や政治を進めるための予算などを多数決で決めます。こうたさんたちは，予算が成立するまでの流れを調べました。

「衆議院と参議院それぞれの議院で話し合いをした後に，多数決で決定するんだね。」

「決められた人数の国会議員が賛成しないと，予算は成立しません。」

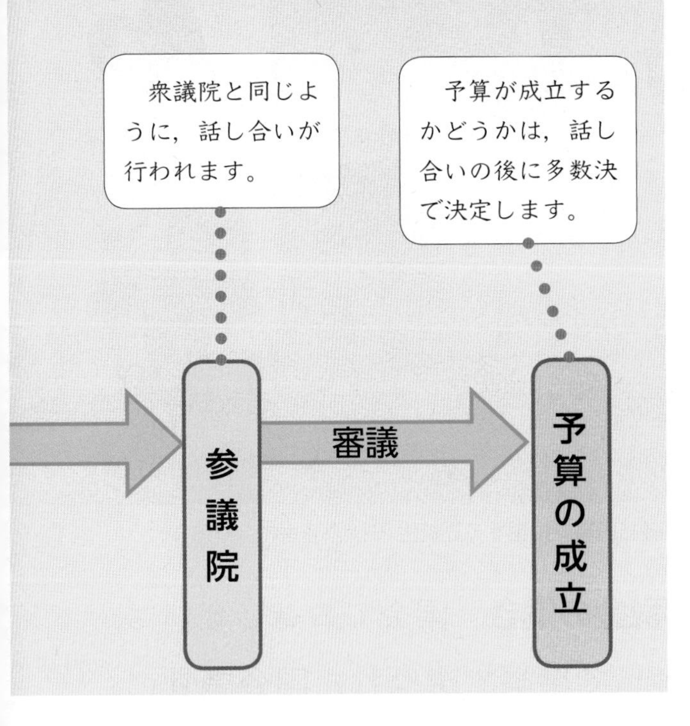

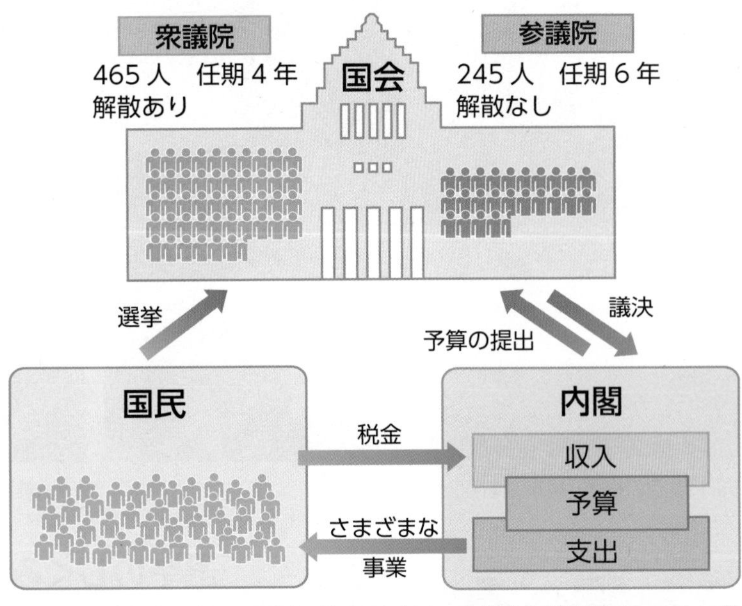

④国民と国会と内閣の関係　法改正がされ，参議院の議員数は248人に増える予定です。

国会について調べたこと

●国会の働きは……

二つの議院で国の政治の方向を多数決で決めること。

- 法律の制定…唯一(ゆいいつ)の立法機関です。
- 内閣(ないかく)総理大臣の指名…国会議員の中から選びます。
- 予算の議決…国のお金の使い道を決めます。
- 条約の承認(しょうにん)…外国との約束を認(みと)めます。
- 弾劾裁判所(だんがいさいばんしょ)の設置…裁判官をやめさせることができます。
- 憲法(けんぽう)改正の発議…憲法を改めることを国民に提案する。　など

⑤こうたさんのまとめ

国会では，どのように話し合いが行われているのかな。

ことば

国会　国会で決められる予算や法律は，わたしたちの日常生活の中のいろいろな場面にかかわってきます。そのため，国会でどのような話し合いがなされ，どのような予算や法律が決められているのかに関心をもつことが大切です。

「税金の使い方も国会で話し合って決めるんだね。どのようなことに使われているか知らないといけないね。」

「話し合いを二つの議院で行うことで，話し合う機会が増えて，国の重大な問題について，より慎重(しんちょう)に話し合うことができるのだと思います。」

5

カッコの中に30文字くらいの文章を入れて，国会の説明を完成させてください。

国会では，(　＿＿＿＿＿＿＿＿＿＿＿＿＿＿＿＿＿＿＿＿＿＿＿＿＿＿＿＿＿＿　)しています。

①投票の様子（東京都新宿区，2012年）

②参議院議員選挙で投票する高校生（千葉県富里市，2016年）

調べる

選挙のしくみや税金の働きについて調べて整理したことをもとに，最後に自分の考えを書きましょう。

選挙や税金は，わたしたちの生活にどのように関係しているのかな。

選挙のしくみと税金の働き　国会での話し合いは，国民の代表者として選挙で選ばれた国会議員によって進められます。また，都道府県や市区町村の長や議員も，選挙で選ばれます。

選挙で投票する権利（**選挙権**）は，18才以上の国民に認められています。投票は，わたしたち国民が政治に参加し，主権者としてその意思を政治に反映させることのできる最も重要な機会です。

国会議員の候補者の多くは，同じ意見をもった人々が集まった政党から立候補しています。選挙では，各政党の主張を知ることも大切です。

あなたならどちらの政党を選ぶか，考えて話し合ってみましょう。

各政党の主張　「消費税の増税について」

お年寄りの人口が増えているので，医療に関する公共的なサービスを維持するために，消費税を増税します。

国民に負担のかかる増税は，するべきではありません。まずは，現在の税金の使われ方を見直すことが大切です。

A党

B党

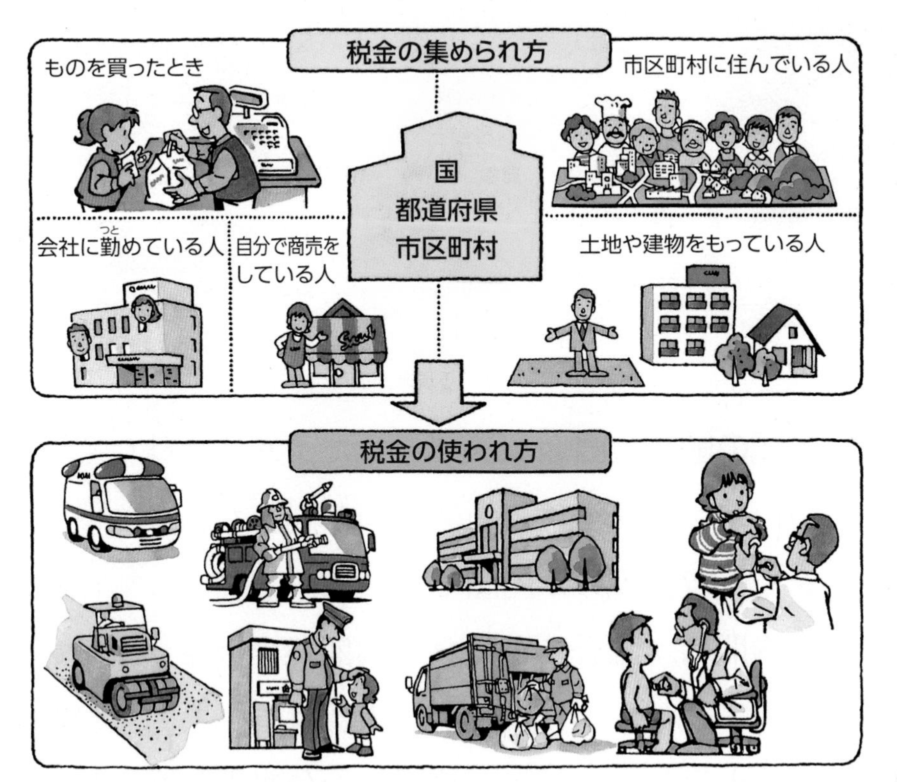

③税金の集められ方と使われ方

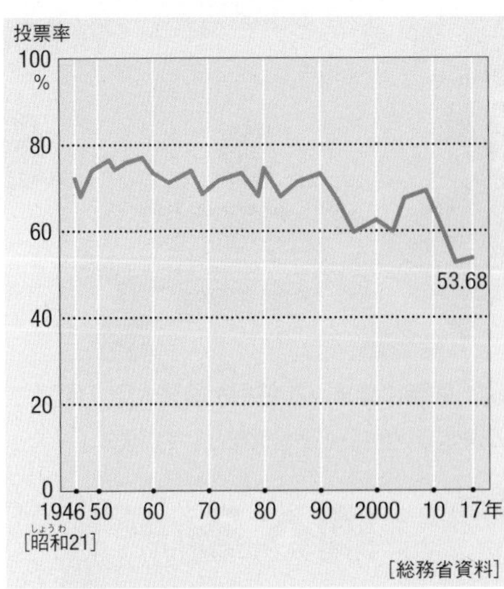

④衆議院議員総選挙の投票率の移り変わり

また，代表者を選ぶ際の大切な視点の一つが税金です。

わたしたちの身のまわりには，国や都道府県，市区町村による公共サービスや公共施設があります。それらにかかる費用の多くは，税金によってまかなわれています。税金には，ものを買ったときにかかる消費税などがあります。国の税金の集められ方やその使われ方（予算）は，国民の代表者である国会議員によって決められます。

近年，選挙で投票する人が減ってきていることが問題になっています。選挙で自分が選んだ候補者に投票することは，税金をどのように納め，どのように使うかを自分たちで決めることにつながります。

ことば

選挙権　日本国民で満18才以上の者は，選挙権を有します。国会議員選挙では，2016年7月の参議院議員選挙より，それまで20才以上だった選挙権年令が満18才以上に引き下げられました。若い世代が政治に関心をもち，将来の社会のあり方などについて考え，投票することが期待されています。

選挙について調べたことをもとに，選挙権をもつようになったら気をつけたいことについて，考えを書きましょう。

選挙について考えたこと

1 閣議に集まった首相と国務大臣　閣議での決定は，全員一致を原則としています。

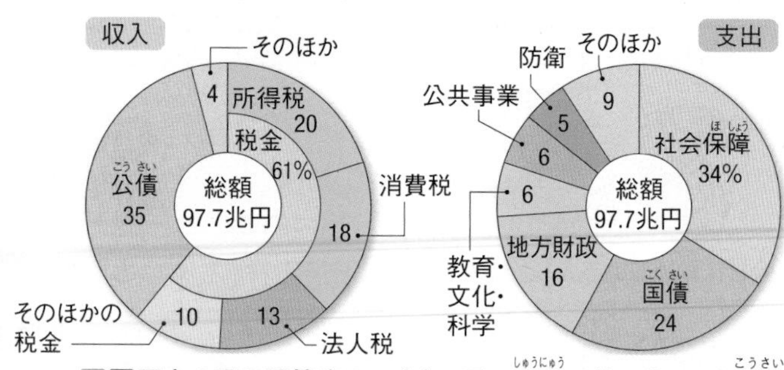

2 日本の国の予算（2018年）　国の収入の約3分の1を公債（借金）で補っている現状が問題になっています。

調べる

内閣の働きについて調べて整理したことをもとに，最後に一文で説明しましょう。

ことば

内閣　首相は，多くの場合，衆議院で多数をしめる政党の代表が選ばれます。首相を中心とした内閣が交代すると，政治の方針も変わることがあります。そうした意味でも，選挙でのわたしたちの判断が大切になってきます。

内閣の働き　国会で決められた予算や法律にもとづいて，国民全体のためにいろいろな仕事を責任をもって行うのが**内閣**です。

内閣は，国会で選ばれた内閣総理大臣が，その中心になります。内閣総理大臣は首相ともよばれ，国務大臣を任命して，専門的な仕事を担当させたり，大臣たちなどと会議（閣議）を開いて政治の進め方を相談したりします。

内閣のもとで実際の仕事を受けもつのは，省や庁です。国務大臣の多くは，担当する省の大臣として，分担された仕事を進めていきます。

文部科学省の主な仕事

- 学校でどのような勉強を，どのくらいするか決める。
- 学校で使われる教科書が正しく書かれているかを点検する。
- 学校の先生の数や建物の基準を決める。
- 科学の研究が発展する環境を整える。

内閣

- 国家安全保障会議
- 人事院
- 内閣法制局
- 復興庁
- 内閣官房
- 内閣府

防衛省	自衛隊を管理・運営する仕事
環境省	環境に関する仕事
国土交通省	国土の整備や交通に関する仕事
経済産業省	経済や産業に関する仕事
農林水産省	農業・林業・水産業に関する仕事
厚生労働省	国民の健康や労働などに関する仕事
文部科学省	教育や科学・文化・スポーツなどに関する仕事
財務省	予算や財政などに関する仕事
外務省	外交に関する仕事
法務省	検察や国籍など法律に関する仕事
総務省	国の行政組織や地方自治・通信などに関する仕事
宮内庁（内閣府）	皇室に関する仕事
公正取引委員会（内閣府）	企業や商店の公正な取引に関する仕事
国家公安委員会（内閣府）	警察の最高機関で社会の安全に関する仕事
金融庁（内閣府）	金融機関の監督などの金融制度に関する仕事
消費者庁（内閣府）	消費者の権利の尊重と自立の支援に関する仕事

3 内閣のしくみ

「首相官邸きっず」「内閣府キッズページ」「文部科学省こどもページ」

内閣について調べたこと

●内閣の働きは……

国会で決められた予算や法律にもとづいて，実際に政治を行うこと。

- ●法律案や予算を国会に提出する。
- ●国会の召集を決める。
- ●衆議院の解散を決める。
- ●外国と条約を結ぶ。
- ●外国との交渉や交際を行う。
- ●最高裁判所の長官を指名する。など

●内閣総理大臣は……

国会で指名され，国民の願いを実現する，内閣の最高責任者である。

●内閣の仕事を支える省と庁と委員会などがある。

内閣と国会は，どのように関係しているのかな。

カッコの中に 30 文字くらいの文章を入れて，内閣の説明を完成させてください。

内閣では，（　　　　　　　　　　　　　　　　　　　　）しています。

国会と内閣の働きを学習したこうたさんたちは，国民の祝日も国会で決められた法律にもとづいていることを知り，みんなで調べて発表することにしました。

↑4 こうたさんのまとめ

↓5 国民の祝日

国民の祝日…国民の祝日に関する法律により，国民が祝い，感謝する日です。

法律に定められた内容を一部やさしく書きかえています。それぞれの祝日には，意味や由来があります。

1月1日　元日　年の始めを祝う。

1月の第2月曜日　成人の日　大人になったことを自覚し，自分自身の力で生きていこうとする若者を祝いはげます。

2月11日　建国記念の日　国がつくられた昔を思い，国を愛する心を養う。

2月23日　天皇誕生日　天皇の誕生日を祝う。

3月21日ごろ　春分の日　自然をたたえ，生物をだいじにする。

4月29日　昭和の日　激動の日々をこえ，復興をとげた昭和の時代をふり返り，国の将来を思う。

5月3日　憲法記念日　日本国憲法の施行を記念し，国の成長を願う。

5月4日　みどりの日　自然に親しむとともに，そのめぐみに感謝し，豊かな心を育む。

5月5日　こどもの日　子どもの人格を重んじ，子どもの幸福が実現されるよう努力するとともに，母に感謝する。

7月の第3月曜日　海の日*　海のめぐみに感謝するとともに，海洋国日本の繁栄を願う。

8月11日　山の日*　山に親しむ機会をもち，山のめぐみに感謝する。

9月の第3月曜日　敬老の日　長い間社会につくしてきたお年寄りを敬愛し，長生きを祝う。

9月23日ごろ　秋分の日　祖先を敬い，なくなった人を思い出す。

10月の第2月曜日　スポーツの日*　スポーツを楽しみ，他者を尊重する精神を育てるとともに，健康で活力ある社会の実現を願う。

11月3日　文化の日　自由と平和を愛し，文化をよりよいものにする。

11月23日　勤労感謝の日　勤労を尊び，生産を祝い，国民がたがいに感謝し合う。

＊2020年は，東京オリンピック・パラリンピックが開催予定だったため，特別に上とは異なる日に定められました。延期にともなって，2021年も同様にすることが検討されています。

「どうしてお休み？国民の祝日」

⇧1 **裁判の様子** 裁判員制度の開始を前に行われた模擬裁判の様子です。

裁判員制度

裁判員制度は，国民が裁判員として裁判に参加する制度です。国民が主権者として裁判への関心をもつとともに，国民の感覚や視点を裁判に生かすことを目的にしています。裁判員は，選挙権をもつ20才以上の人の中からくじで選ばれ，刑罰が重い犯罪の裁判に裁判官とともに加わります。そして，うったえられた人が有罪か無罪か，有罪の場合は，どのくらいの刑にするかを判断します。きちんとした裁判が行われるためにも，わたしたち一人一人が法律や裁判に関心をもつことが，より大切になってきました。

調べる

裁判所の働きについて調べて整理したことをもとに一文で説明しましょう。最後に国会・内閣・裁判所の図を完成させましょう。

裁判所の働き 社会では，争いごとや犯罪が起きたり，事故に巻きこまれたりすることがあります。また，国会で決められた法律に問題となる部分があったり，法律に反して政治が行われていたりしたら，たいへんなことになります。

裁判所は，このようなときに法律にもとづいて問題を解決し，国民の権利を守る仕事をしています。国民は，だれでも裁判を受ける権利をもっています。また，判決の内容に不服がある場合は，3回まで裁判を受けられる制度があります。

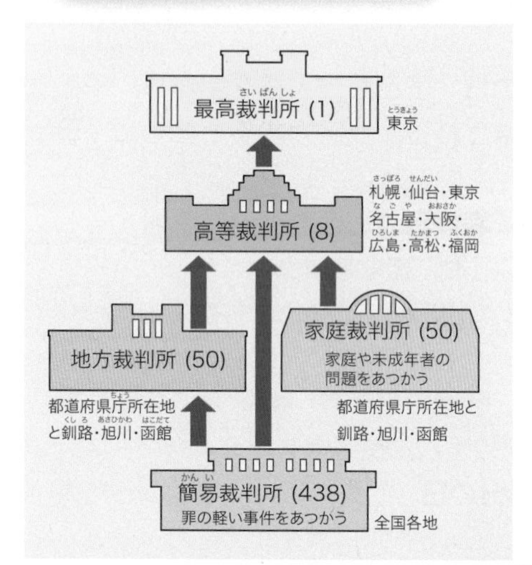

⇧2 **裁判のしくみ** 裁判のまちがいを防ぎ，人権を守るために，同じ事件について3回まで裁判を受けることができます。

裁判員制度には，わかりづらい裁判に市民感覚を取り入れたり，裁判のスピード化を図ったりする目的もあるそうです。

3回受けられるから，まちがった判決は出ないはずだね。でも，有罪という判決が出たけれど，実は無実だったという記事を新聞で見たことがあるよ。

ことば

裁判所 人々の間に，利益や考えの対立によって争いが起きたり，殺人や強盗などの犯罪が起きたり，事故によってけが人や死者が出たりした場合に裁判が開かれます。法律がきちんと守られ，わたしたちが安心してくらしていくためにも，裁判所の仕事は重要です。

裁判所について調べたこと

●裁判所の働きは……

争いや事故，犯罪などが起こったときに，法律にもとづいて問題の解決を図ること。

- 人々の間に起きた争いなどについて，原告側と被告側に分かれて裁判を行い，判決を出す。
- 罪を犯した疑いのある人が有罪か無罪かの裁判を行い，判決を出す。
- 法律が憲法に違反していないかを調べる。
- 政治が憲法に違反していないかを調べる。

←3こうたさんのまとめ

カッコの中に30文字くらいの文章を入れて，裁判所の説明を完成させてください。

裁判所では，（　　　　　　　　　　　　　　　　　　　　）しています。

国会・内閣・裁判所は，国の重要な役割を分担しており，そのしくみを三権分立といいます。こうたさんたちは，三権分立の関係を示す図を完成させることにしました。

まなび方コーナー

三つの関係をまとめる

三権分立図をつくる

【国会・内閣・裁判所の関係を整理する】

- 国会・内閣・裁判所を分けて，わかりやすい図にする。写真やイラストをはりつけてもよい。
- 矢印の一部をクイズ形式で当てるようにして，理解をより深められるようにするとよい。

【三権と国民との関係を整理する】

- 国民を中心に，三権とはちがう種類の矢印で関係を表す。
- 国会との関係については，選挙の立候補と投票の年令も答えられるようにするとよい。

↓4こうたさんたちのまとめ

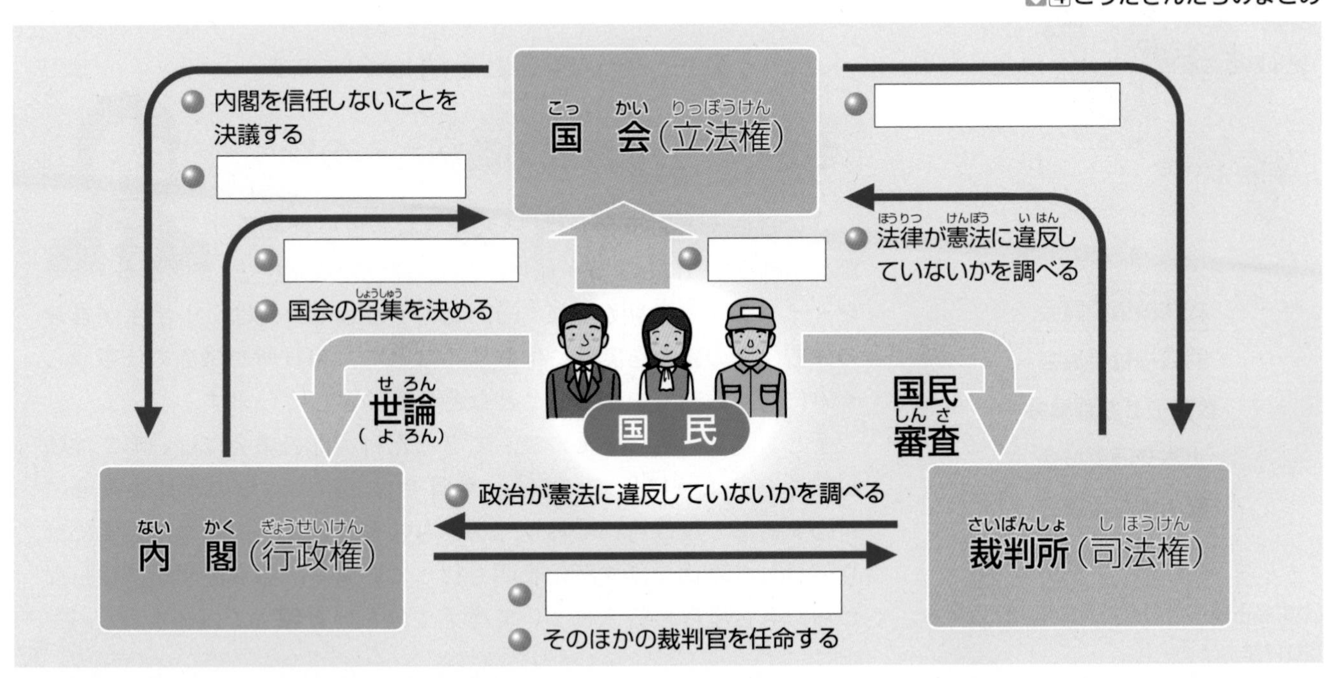

「三権分立の関係図を完成させよう」

「なごや子ども市会」

あおいさんは，愛知県名古屋市で小学生が参加する「なごや子ども市会」が毎年開かれていることを知り，関心をもちました。そこで，「子ども市会」について調べ，政治の学習に役立てようと考えました。

↑②子ども市会の本会議が行われる議場がある市役所本庁舎

↑①子ども議員のみなさん（2017年）

「なごや子ども市会」は，名古屋市の議会（名古屋市会）が毎年開いています。「子ども市会」には，名古屋市内に住んでいるか，名古屋市内の学校に通っている小学校５・６年生が参加します。子ども議員は，六つの委員会に分かれ，市内の施設を見学したり，事前の話し合いを行ったりします。そして，本会議では，委員会ごとの意見発表や，交流のある岩手県陸前高田市の子どもたちへのメッセージを送ることを決めています。

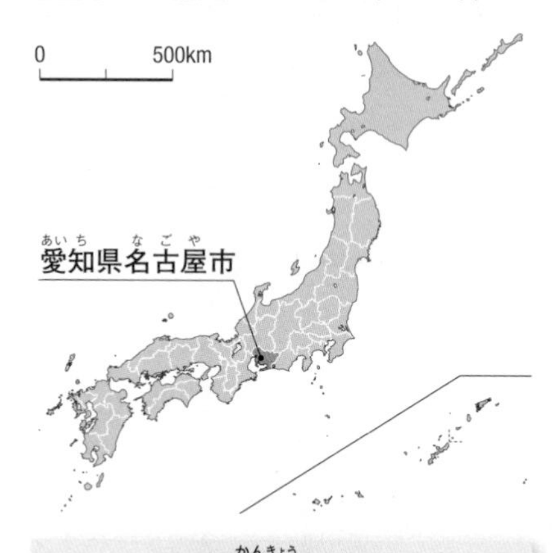

- 総務環境委員会
- 財政福祉委員会
- 教育子ども委員会
- 土木交通委員会
- 経済水道委員会
- 都市消防委員会

↑③名古屋市の議会の六つの常任委員会（2017年）

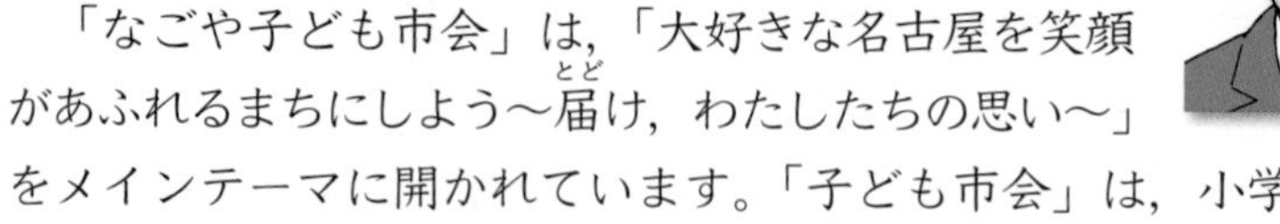

名古屋市会事務局の鵜飼さんの話

「なごや子ども市会」は，「大好きな名古屋を笑顔があふれるまちにしよう～届け，わたしたちの思い～」をメインテーマに開かれています。「子ども市会」は，小学生が自分の住むまちの議会を実際に体験することで，市役所や議会の仕事やしくみに対する理解を深めることなどを目的としています。

子ども議員のみなさんには，できるだけ実際の議会に近い形で体験してもらうようにしています。委員会は，市の六つの常任委員会に対応する形で設けられており，子ども議長・副議長の選挙のときには，立候補した理由を話す所信表明も行っています。議会運営を体験しながら，名古屋市の将来について考えてほしいと願っています。

4 2017（平成29）年の活動の様子

7月25日　事前説明会・事前研修会①
・委員会に分かれて施設見学。
・委員会ごとに委員長と副委員長を決め，本会議で発表する内容について話し合う。

7月31日　事前研修会②
・委員会ごとに分かれて，本会議で発表する「委員会の意見」を話し合う。
・子ども議長・副議長の選挙を行う。

8月5日　「なごや子ども市会」本会議
・委員会ごとに「委員会の意見」を発表。
・岩手県陸前高田市の子どもたちへのメッセージを送ることを決める。

第1委員会
平和を大切にする心を育むまちづくり

第2委員会
いのちを大切にし，思いやりのあるまちづくり

第3委員会
読書に親しみ，くらしを豊かにするまちづくり

第4委員会
自然に親しみ，生き物を大事にするまちづくり

第5委員会
名古屋の歴史を生かしたにぎわいのあるまちづくり

第6委員会
安全で安心してくらすことができるまちづくり

被災地(ひさいち)との交流　名古屋市は，東日本大震災(ひがしにほんだいしんさい)で大きな被害(ひがい)を受けた陸前高田市にさまざまな支援(しえん)を行っており，「子ども市会」も2012（平成(へいせい)24）年度から陸前高田市の子どもたちと交流を続けてきました。2017年の本会議でも，陸前高田市の子どもたちへ，一人一人が自分の思いをこめたメッセージを送ることが決まりました。

やってみよう
六つの委員会のテーマの中で，自分の住んでいるまちのこれからに向けていちばん大切だと思うテーマと，そのように考えた理由をノートに書いてみましょう（「名古屋の歴史」は「自分たちのまちの歴史」として考えましょう）。

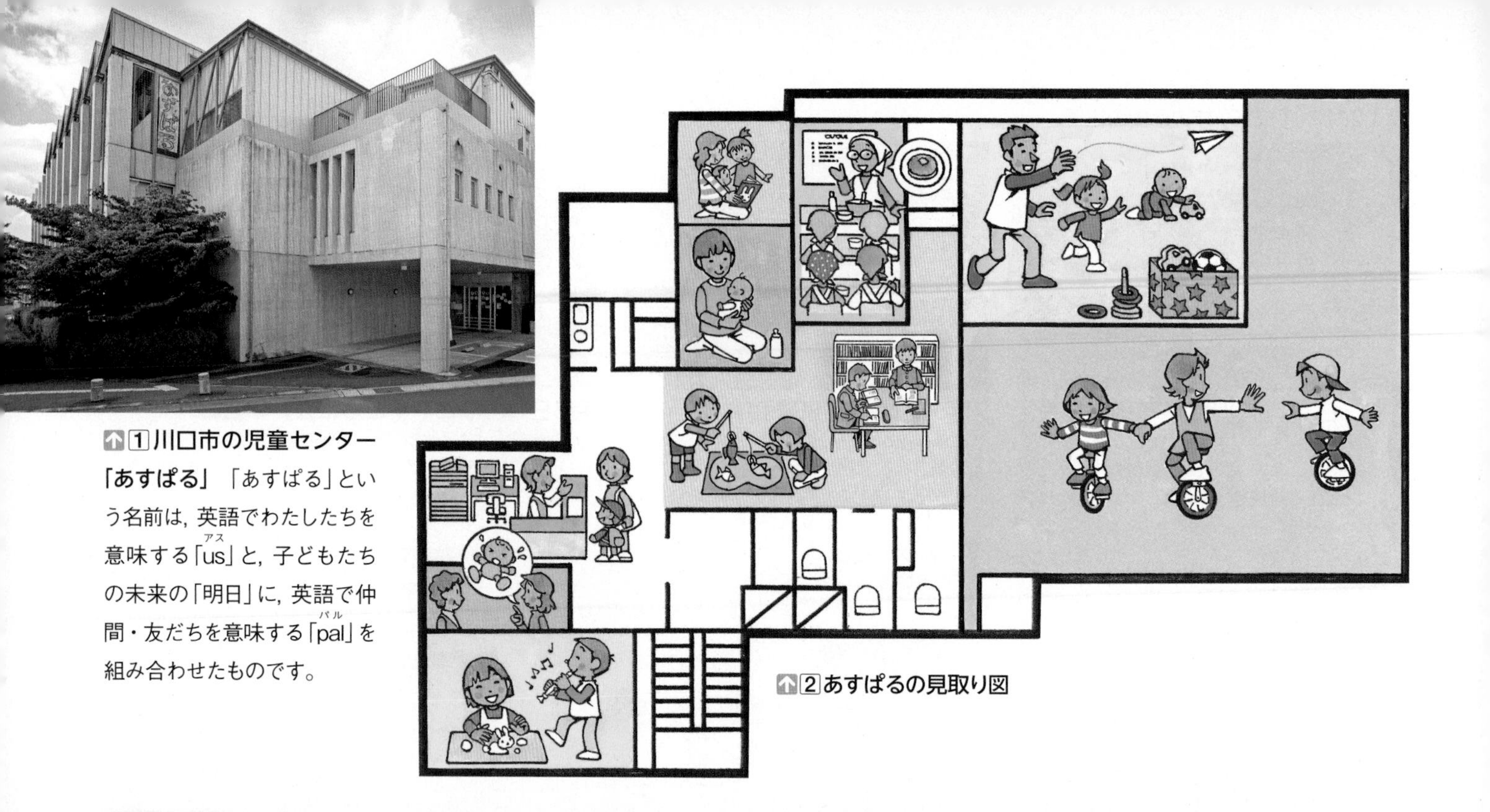

①川口市の児童センター「あすぱる」 「あすぱる」という名前は，英語でわたしたちを意味する「us」と，子どもたちの未来の「明日」に，英語で仲間・友だちを意味する「pal」を組み合わせたものです。

②あすぱるの見取り図

3 子育て支援の願いを実現する政治

つかむ

児童センターの様子と子どもをもつ親の願いについて話し合い，学習問題をつくりましょう。

わたしたちの願いと児童センター 埼玉県川口市には，年間約７万人が利用する「あすぱる」という児童センターがあります。

「赤ちゃんや小さな子どもだけでなく，小学生から高校生まで利用しています。ここで，けん玉を教えてもらったことがあります。」

「だれでも無料で遊べて，小さな子どもを連れた親がたくさん来ています。お父さんも，弟といっしょによく行っているよ。」

あおいさんたちは，あすぱるを訪ねて，どのような人が，なぜ利用しているのか，調べてみることにしました。

3 震災復興の願いを実現する政治（46 ～ 57ページ）と，どちらかを選んで学習しましょう。

③あすぱるを訪ねる

「ここでは，小さい子どもを安心して遊ばせることができ，同じ年ごろの子どもをもつ親どうしで話ができるので助かっています。」

「子どもと遊べる道具や場所があるのは，とても便利です。楽しいイベントもあるので，休みの日によく利用しています。」

「あすぱるは，遊びだけでなく，勉強もできます。少人数で落ち着いて勉強できるし，教えてくれる人もいるので気に入っています。」

児童センターあすぱるは，川口市がつくった公共施設です。あすぱるには，子どもをもつ親の願いをかなえるくふうがあるようです。

学習問題

児童センターがつくられるまでには，どのような人たちの，どのような働きがあったのでしょうか。

年	月	主なできごと
2000	3	基本計画作成の調査の報告
2002	3	あすぱるの計画作成
2003	3	市議会で審議が始まる 市議会で決定
	9	あすぱるの建設が始まる
2005	4	あすぱるが完成

④児童センター「あすぱる」ができるまで

⑤事務室と受付　子どもや保護者は，受付で登録カードを出して，あすぱるを利用します。

⑥屋外広場でバスケットボールをして遊ぶ子どもたち

「あすぱる」は，どうしてつくられたのかな。

↑1 遊戯室で行われる布遊びのイベント

↑2 お父さんを対象にした，赤ちゃんとのふれあいイベント

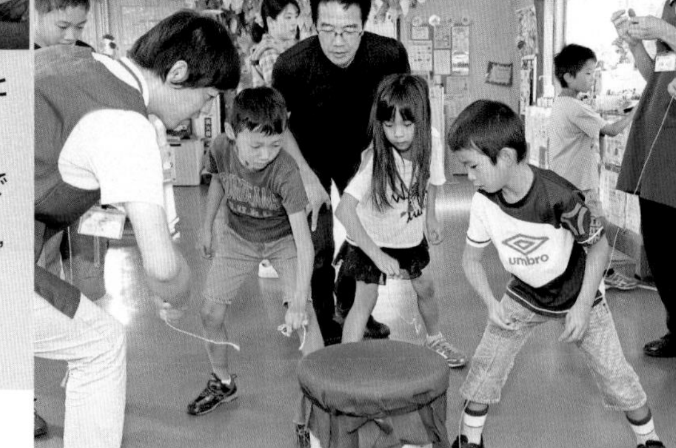

→3 ベーゴマの日のイベント　川口市では古くから鋳物がつくられ，子どもたちは，ベーゴマに親しんでいます。

開所時間	午前９時～午後６時
休所日	火曜日・祝日

・児童センターは，０才から 18 才未満の児童が利用できます。
・開館時間内は自由に遊べます。

調べる

あすぱるでは，どのような活動が行われているのでしょうか。

「あすぱる」には，どのようなくふうがあるのかな。

あすぱるの活動　あおいさんたちは，あすぱるでどのような活動が行われているのか，所長の沢田さんに話を聞きました。

あすぱる所長の沢田さんの話

あすぱるは，子どもたちが元気で安全に遊ぶことができる市の児童厚生施設です。現在3000組以上の登録があり，2018（平成30）年度の利用者は，約72000人でした。

あすぱるでは，児童厚生員が子どもたちといっしょに遊んだり，指導したりします。中学生や高校生にとっての居場所となるようなくふうもしています。子どもたちが安全に楽しく遊べるだけでなく，親の子育てに関する相談や出産前後の学習など，**子育て支援**の事業も行っています。

児童センターでの交流をきっかけに，地域の大人がよりよい子育てのために進んで活動できるようになればと願っています。

ことば

子育て支援　現在，男性も女性もあらゆる分野で活やくできる社会がめざされています。共働きの家庭が増える中で，市などによる子どもを産み育てるための支援が求められています。

←4 **中学生の卓球大会**　利用者である中学生が，自分たちで大会を企画・運営します。

←5 **中学生に勉強を教える活動をしている地域のボランティア**

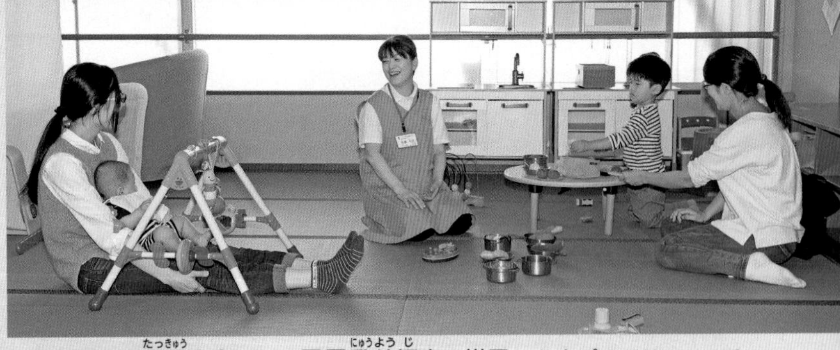

↑6 **乳幼児室の様子**　あすぱるでは，いつでも，子育て支援コーディネーターに子育てについて相談したり，助言を受けたりすることができます。

↑7 **高校生による小学生向けのふれあい講座**　市内の高校に通う高校生が，あすぱるを利用する小学生のために，理科の楽しさを伝える講座を自分たちで企画します。

↑8 **あすぱる通信**　行事や休館日を伝える，乳幼児版と小・中・高版の通信を毎月発行しています。あすぱるを利用しやすく，より身近な施設にするためのくふうの一つです。

「高校生は，自分たちが利用するだけではなく，ボランティアで，わたしたち小学生向けの講座を開く活動をしています。」

「学習会や行事などが毎月開かれています。子どもや親が安心して使え，何度でも来たくなるようなくふうがされていると思いました。」

「施設の使いやすさや要望など，利用している人にアンケートをとって，その思いや願いを参考に行事などを考えているそうです。」

安全で安心して利用できるあすぱるは，子育て支援のためのだいじな施設であることがわかりました。

「あすぱるは，どのようにしてつくられたのかな。市の施設だから，市役所の人に聞いてみようよ。」

まなび方コーナー

取材をする

市役所で取材をする

- 市役所のホームページを見て，担当の部署，電話番号を探す。
- 調べたい内容を事前に電話などで伝え，取材できるかを確認する。
- 取材ができそうな場合，相手の都合を聞いて，訪ねる日時を決め，取材に行く人数を伝える。
- 事前に，場所の確認や質問事項の整理をしておく。
- 取材が終わったら，メールか手紙でお礼を伝える。

調べる

市では，どのような考えのもとにどのようにあすぱるをつくったのでしょうか。

↑1 川口市役所で取材をする

市役所の働き　あおいさんたちは，市民のための仕事をしている**市役所**を訪ね，児童センターを担当している部署で取材しました。

川口市役所の木村さんの話

児童センターの建設をはじめ，子育てに関する計画は，国の法律（児童福祉法）にもとづいて進められています。以前から市には公民館がありましたが，子育て支援を目的とした施設ではないので，もっと子どもや親が気軽に遊べて，なやみを相談したり，情報交かんができたりする場所がほしいという声がありました。こうした市民の要望を「あすぱる」の計画に反映させました。

そして，建設のための計画案をつくり，建設に必要な費用などを計算しました。最終的に市議会での話し合いによって「あすぱる」をつくることが決まりました。

市では，子育て家庭どうしが地域で協力し，助け合えるようにすることをめざしており，市民の要望をもとにさまざまな取り組みを進めています。

↑2 **子育てに関する学習会**　あすぱるでは，講師による講習のほか保護者どうしの交流もあり，育児になやむ保護者の支えになっています。

市民の要望は，市長や市役所に伝えられたり，議員を通して入ってきたりしているよ。

計画をつくるのは市役所の仕事で，建設するかどうかを決めるのは，市議会の仕事だね。

- 放課後も子どもたちが安心して遊べる場所がほしい。
- 親子で気軽にかつ安全に遊べる場所がほしい。
- 雨の日でも遊べるようにしてほしい。
- 親どうしが交流できるような施設にしてほしい。
- 育児のなやみも聞いてほしい。
- 父親も行きやすい施設にしてほしい。

市議会

案の提出

賛成の議決

市役所の働き

市内にあすぱるを建てる計画

計画書・予算

事業者を選ぶ

市長

市役所，専門委員会の人々

あすぱる

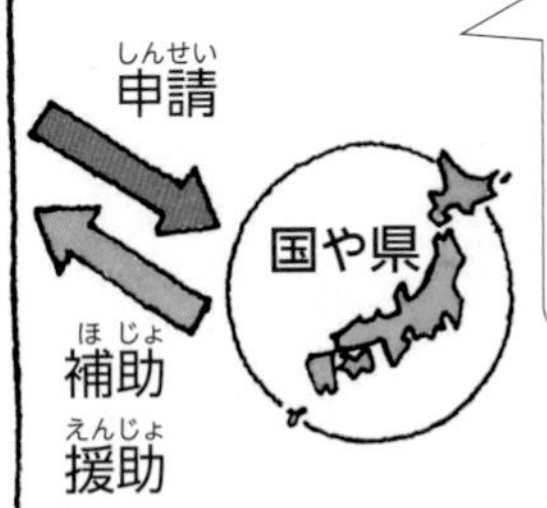

公共施設の建設にはお金がたくさん必要だから，国や県から補助金をもらうこともあるんだね。

市役所は，専門家も加わって，計画案をつくったり，建設費用を計算したりする仕事をしているよ。

申請 …要望を願い出ること

補助金 …国や県が，事業のために市などにわたすお金

3 あすぱるの建設に向けた市役所の働き

4「子育てガイドブック」（川口市）

市役所では，国の法律にもとづき，子育て支援にかかわるさまざまな人々の願いを聞きながら，県や市の目標や計画にそって，あすぱるを建設しました。また，市では子育てに関するガイドブックを作成して，多くの人たちに施設を利用してもらえるようにしていました。

「次は，あすぱるをつくることを決めた市議会の働きについて調べてみよう。」

ことば

市役所　地域の住民の声を受けて，それを実行するための計画をつくったり，議会で決められたことを実行したりするなど，住民のためにさまざまな仕事を行っています。町や村では役場といわれるのが一般的です。

①市役所の建物

②市議会の議場　市議会は，市役所第一本庁舎の７階にあります。

●市長や市議会議員と年令

〈市長や市議会議員になるには〉
・選挙に立候補できる年令……25才以上
〈市長や市議会議員を選ぶには〉
・選挙で投票できる年令……18才以上

調べる

議会では，どのようにしてあすぱるをつくることを決めたのでしょうか。

市民と市議会は，どのようなかかわりがあるのかな。

市議会の仕事

市議会では，市の仕事を進めていくために必要な以下のようなことを話し合って決めています。

・条例を制定，改正，廃止すること
・市の予算を決めること
・市の税金を決めること

また，市の仕事が正しく運営されているかどうかを確認するために，市の仕事の状況を聞いたり，問題点を指摘したりすることも市議会の大切な仕事です。

市議会の働き　あおいさんたちは，あすぱるをつくることを決めた**市議会**について，調べることにしました。

「国では内閣のもとで実際の仕事をしていたのは省庁でしたが，市では，市役所があすぱるの計画を立てて仕事を進めています。」

「国の政治の方向を決めているのは国会でしたが，あすぱるをつくることや，その予算を決めるのは，市議会なんだね。」

市議会では，あすぱるをつくる場所や費用，専門委員会で検討した建設・運営計画など，さまざまな議題が話し合われました。市が行う健康診断や保育サービス，子育てに関する費用の一部を負担する制度など，子育て支援事業や，それ以外のさまざまな事業も，国の法律や市民の要望にもとづき，市議会で決定されています。

3 市議会議員選挙に立候補する 市議会議員になるための第一歩です。市民の代表として，選挙の前後で言動が異なるようでは，有権者の支持が得られません。

4 市議会での話し合い 議員は，予算の決定や条例の制定など，市民の代表として，公平・公正な立場で話し合いにのぞみます。

5 国会や関係省庁に意見書を出す 市の力だけでは実現できないことについて，意見書を出すこともあります。

市長や市議会議員は，国会議員と同様に選挙によって選ばれ，政治を任された市民の代表です。市役所でつくられた計画書や予算が，それでよいのかどうかを話し合います。そして，必要に応じて修正して，最後に多数決で決定します。

市民は，市議会に請願をしたり，傍聴したりすることができます。決めたことが本当に市民のためになるのか，市の将来にとってよいことなのかを判断する議員や，その議員を選挙で選ぶ市民には大きな責任があります。市の仕事が正しく行われているかをチェックし，市だけで解決できない問題について，県や国に働きかけるのも議員の大切な仕事です。

「あすぱるの建設は市の事業だから，建設のための予算には，国の事業と同じように税金が使われているのかな。」

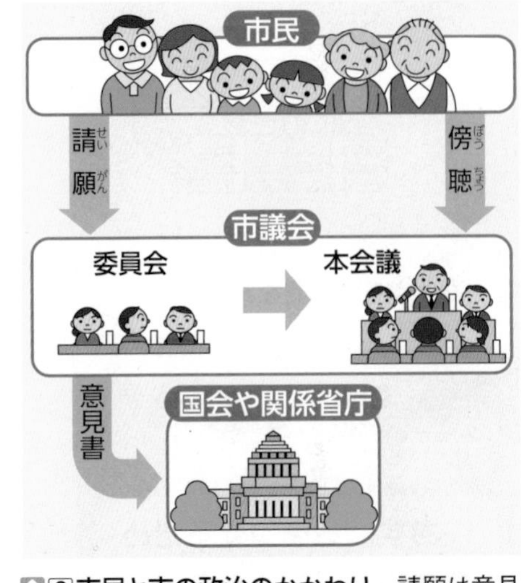

6 市民と市の政治のかかわり 請願は意見や希望を述べること，傍聴は議会の話し合いを許可を得て聞くことです。

ことば

市議会 市民による選挙で選ばれた市議会議員が，市民の代表として市の税金や予算，条例などを話し合って決定するところです。市議会で決定することを「議決」といい，それが市全体の意思決定となるので，市民は，選挙によって自分の意見を政治に反映させることになります。

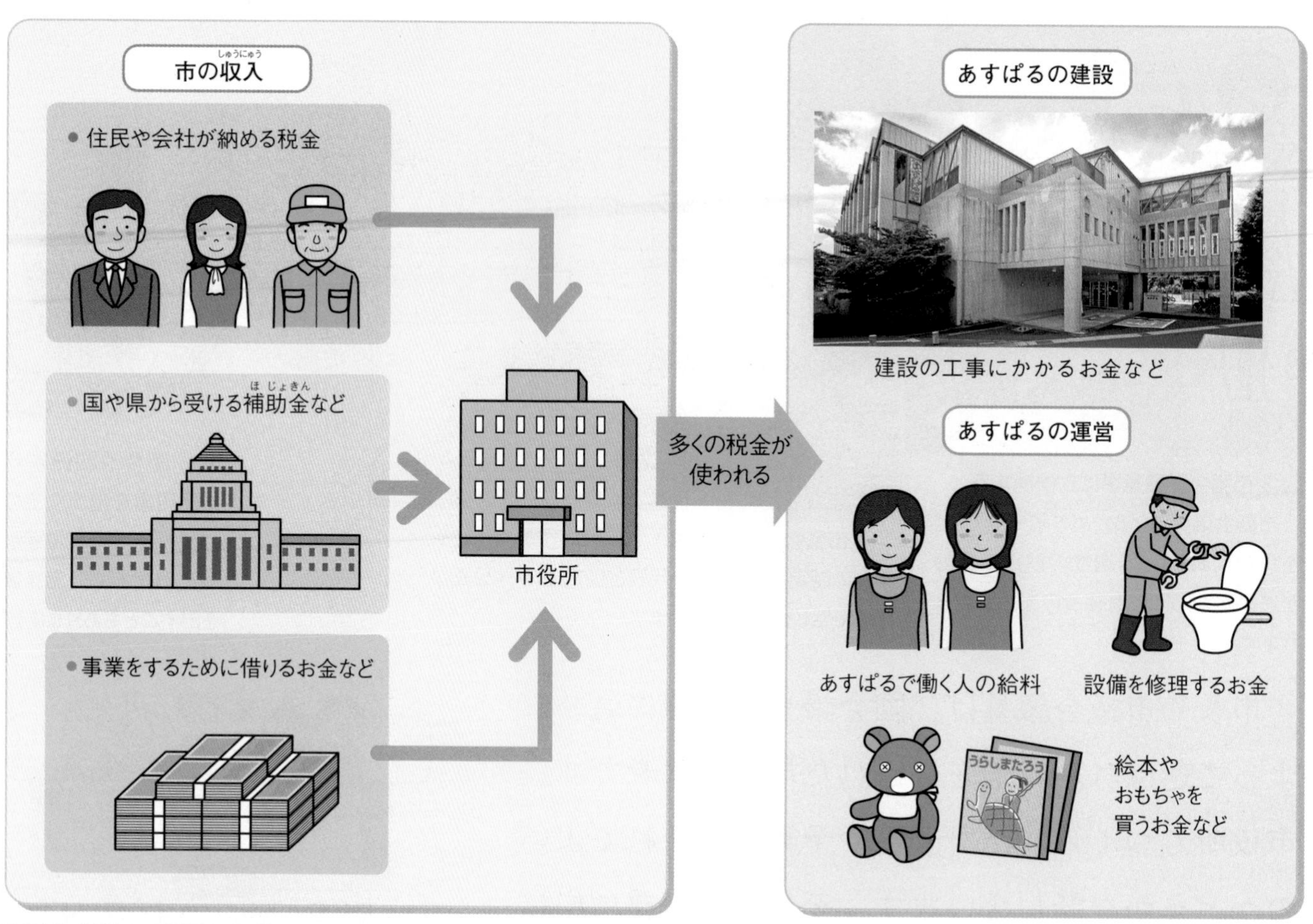

1 あすぱるに必要なお金

調べる

あすぱるをつくるための費用は，どこから出ているのでしょうか。

データ

- 利用者がはらうお金 ……………………………0円
  ※教材費100円が必要な場合あり
- 運営にかかるお金（1年） ……………………約2000万円

2 あすぱるにはらうお金とあすぱるの運営にかかるお金

税金の働き

「あすぱるの建設には，約1億4000万円のお金がかかったそうです。」

「建物ができてからも，施設に必要なものを買ったり，職員の給料をはらったりしなければいけないけれど，どうしているのかな。」

あすぱるの建設やさまざまな子育て支援事業を行うには，多くのお金が必要になります。市は，住民や会社などから**税金**を集め，その税金を使って，多くの人が必要とする公共的な事業を行っています。税金の使い道は，市民の代表が集まる市議会の話し合いによって決められます。

社会を支える税金

税金は，わたしたちの生活や社会を支える大切なもので，その働きを知ることは，とても重要です。小学生にも税金やお金についてもっと知ってもらうために，税務署や税理士，銀行などによる出前授業や体験教室が広く行われています。

3 **出前授業**　税務署の人が税金やお金のことをわかりやすく教えてくれます。

税金の使われ方には，どのようなくふうがあるのかな。

約 2078 億円

住民や会社が納める税金	国や県から受ける補助金など	事業をするために借りるお金など	そのほか
45.9%	31.3	8.3	14.5

4 **川口市の収入の内訳**（2019 年度当初予算）

川口市では，市の収入の半分近くは市民の税金です。市がさまざまな事業に使うお金には，住民や会社が市に納めた税金のほかに，国や県の予算の中から出される補助金などもあります。

「日本国憲法の学習で，国民には，税金を納める義務があることを学習したね。」

「税金があるから，道路や学校の建設もできるし，ごみの処理もできるんだね。」

「税金が何に使われているかを知っておくことは大切だと思います。」

税金は，市町村や年度によって，その額や使い道はちがいますが，わたしたちのくらしや社会を支える大切なもので，だれもがそれによるサービスを受けることができます。

納めた税金は，1 日あたりどこに，どれくらい使われているのだろう。

1年に約300万円の収入がある人の場合，市に納める税金は，1日あたりで，約200円になります（川口市の例）。

・市民の生活を支えるお金：約90円

・学校など教育に関するお金：約30円

・ごみ処理，環境，保健に関するお金：約20円

（川口市の2019年度当初予算で計算）

ことば

税金　買うものや住民・会社の資産，いろいろな活動によって得た収入などに対してかけられます。国や市が行う仕事の大半は，税金でまかなわれており，国民には，納税の義務があります。

「国税庁　税の学習コーナー」

まとめる

学習問題について，調べてわかったことを整理し，児童センターがつくられるまでの政治の働きについてまとめましょう。

学習問題を確認しよう。

学習問題

児童センターがつくられるまでには，どのような人たちの，どのような働きがあったのでしょうか。

まとめの活動にことばを生かそう。

ことば

- 子育て支援
- 市役所
- 市議会
- 税金

①市民と市役所と市議会の関係を表す矢印の意味を表す言葉を（　　）に書き入れ，下の図をもとに，児童センターがつくられるまでの政治の働きについてノートにまとめよう。

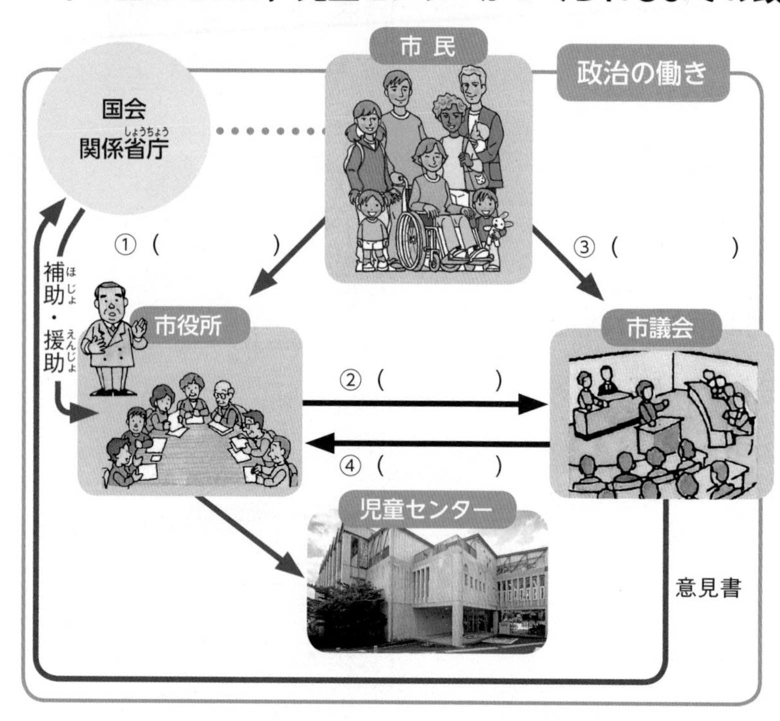

学習問題についてのまとめ
〈自分のまとめ〉
児童センターは，市民の要望を受けて，市役所の担当する課で…

〈グループのまとめ〉
子どもたちが安心して過ごすことができ，親も子育てについて相談できる場所がほしいという市民の要望を受けて，市役所の担当する課で計画し，…

1 あおいさんのノート

②一人一人がノートにまとめた政治の働きについて話し合い，グループで政治の働きについてまとめて，発表しよう。

<話し合いの手順>

(1)自分の整理した内容を読み，なぜそうまとめたのかを説明する。
(2)説明を聞いた３人が，政治の働きがわかりやすく書かれていると思ったところを伝え，説明者はそこにアンダーラインを引く。
(3)全員の説明が終わったら，話し合ってグループで一つに整理し，それぞれのノートにまとめる。

③グループで整理したまとめを発表する。

ひろげる

川口市の福祉事業

川口市では，「住み慣れた地域で，いつまでも安心して幸福にくらせるまち」「ともに支え合う地域の中で，すべての人がかがやくまち」をめざしています。めいさんたちは，お年寄りや障がいのある人のための福祉事業について調べて発表しました。

こうたさんのレポート「社会福祉センター」

●お年寄りと障がいのある人のデイサービスを行う複合施設です。毎月イベントがあり，ふだんは絵画や園芸なども行います。介護に対する予防として，3階には，60才以上の元気なお年寄りが，健康の増進や教養の向上を目的とした活動を楽しむ「たたら荘」という施設もあります。

↑1 食事の介助

めいさんのレポート「きじばと」

●障がいのある人の自立した生活を支援するために，働くための訓練をしたり，仕事を探したりする施設です。目標だった就職によって10人以上がここを卒業しました。就職した先ぱいがおとずれることもあります。ここで行っている仕事は，タオルの検品・仕分け，車用ワイパーの組み立て，高齢者施設での洗たくなどです。職業能力だけでなく，あいさつをする，報告するといった習慣を身につけることも大切にしています。それから，働くための訓練だけでは，なかなか得られないスポーツの楽しみや，さまざまな方との交流を深めるために，「彩の国ふれあいピック」にも参加しています。

→2 働くための訓練

↑3 彩の国ふれあいピックに参加したときの様子

ゆうなさんのレポート「サンテピア」

●地域のさまざまなお年寄りのくらしを支える複合施設です。デイサービスを受けるためのフロア，介護が必要な人が入所して，自立に向けた援助を受けるためのフロアがあります。ほかにも，身のまわりのことは自分でできるお年寄りが，ワンルームマンションとして利用できるフロアもあります。

↑4 地域の子どもたちと利用者との交流

現在のようになるまでに，どのように変化したのかな。

1 大震災直後の気仙沼の様子　巨大な津波がまちをおそい，ほぼすべてのものをのみこんでいきました。

2 大震災直後の気仙沼漁港の様子　津波が直接おそいかかり，大きな被害が出ました。地盤沈下によって，魚市場の復旧には，かさ上げが必要でした。

3 震災復興の願いを実現する政治

つかむ

東日本大震災の発生とまちの人たちの願いについて話し合い，学習問題をつくりましょう。

東日本大震災の発生　2011（平成23）年３月11日午後２時46分，宮城県沖を震源とする巨大な地震が発生して，岩手県，宮城県，福島県，茨城県などの広い範囲で大きな被害が出ました。

特に，地震の後に起きた津波によって，被害は深刻なものとなり，まちは，かいめつ状態になりました。多くの住民が家族や家を失い，店や病院などの建物もこわされて，避難所での生活を続けざるをえませんでした。その後も，強い余震が何度もありました。

ひろとさんたちは，写真や新聞などを見て気づいたことを話し合いました。

「住まいを失った人たちは，ねるところもなくて不安だったと思います。」

3 子育て支援の願いを実現する政治（34～ 45ページ）と，どちらかを選んで学習しましょう。

③かつおの水あげ再開　大震災から3か月後には，かつおの水あげが始まりました。

④現在の気仙沼の様子　がれきの撤去，建物や道路の整備が進み，観光客も多くおとずれるようになりました。

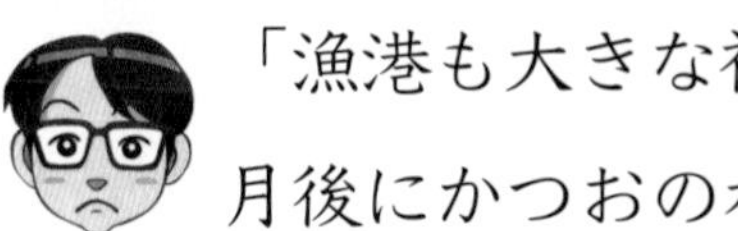

「食べ物もないし，電気やガス，水道も使えないから生活も困ってしまうよね。」

「漁港も大きな被害を受けたのに，約3か月後にかつおの水あげが始まったんだね。どうして，そんなに早く再開できたのだろう。」

「家を建て直すことや，早く仕事を再開することは，被災した人たちの切実な願いだったと思います。」

「まちが現在のすがたになるまでには，どのような努力をしてきたのかな。」

学習問題

災害にあった人々の願いは，どのような人たちの，どのような働きによって実現されるのでしょうか。

まなび方コーナー

新聞や年鑑を活用する

東日本大震災の情報を集める

- 図書館にある新聞の縮刷版を使って，東日本大震災の記事を読む。
- 全国紙のほかに，写真のような地域に密着した地方紙も活用するとよい。
- 出版社や新聞社，役所などが出す年鑑を活用して，特定のことがらに関する1年間の動きや統計などの情報を手に入れる。

河北新報

宮城 震度7

M8.8

大津波被害

号外

⑤新聞の号外　新聞社も被災し，苦労の末に号外が出されました。マグニチュードは，後で9.0に修正されました。

理科「土地のつくりと変化」

1 避難所の様子　多くの市民が各地域の避難所へ避難しました。

2 ボランティアによるたき出し　日本の各地から多くのボランティアがかけつけました。

3 気仙沼市の災害対策本部の様子　市役所にも被害があり，被害をまぬがれた気仙沼・本吉広域防災センターに災害対策本部を設置して，対応にあたりました。

東日本大震災への緊急対応　宮城県気仙沼市では，大きな地震の直後に災害対策本部を設けて，避難所の開設や被害状況の確認などの指示を出しました。また，避難した住民のための水，食料，仮設トイレなども宮城県や災害相互応援協定を結んでいる他県の市などに手配を要請しました。

　宮城県でも，被害状況をつかむための情報収集を行うとともに，自衛隊に災害時の派遣要請を行いました。また，**災害救助法**を適用して，必要な物資を被災地に送る準備を始めました。

「地震の直後から，被災者を助けるために動き出しています。」

「震災の発生前から，こういうときに対応するための体制ができていたんだね。」

調べる

東日本大震災が発生したとき，市や県，国は，どのような取り組みをしたのでしょうか。

ことば

災害救助法　災害発生直後，都道府県や市町村，日本赤十字社などの団体，国民の協力のもとに，国が応急的に必要な救助活動を行い，被災者の保護や社会秩序の保全を行うための法律です。東日本大震災にも適用され，救助のほか，食料や生活物資などの支援が行われました。

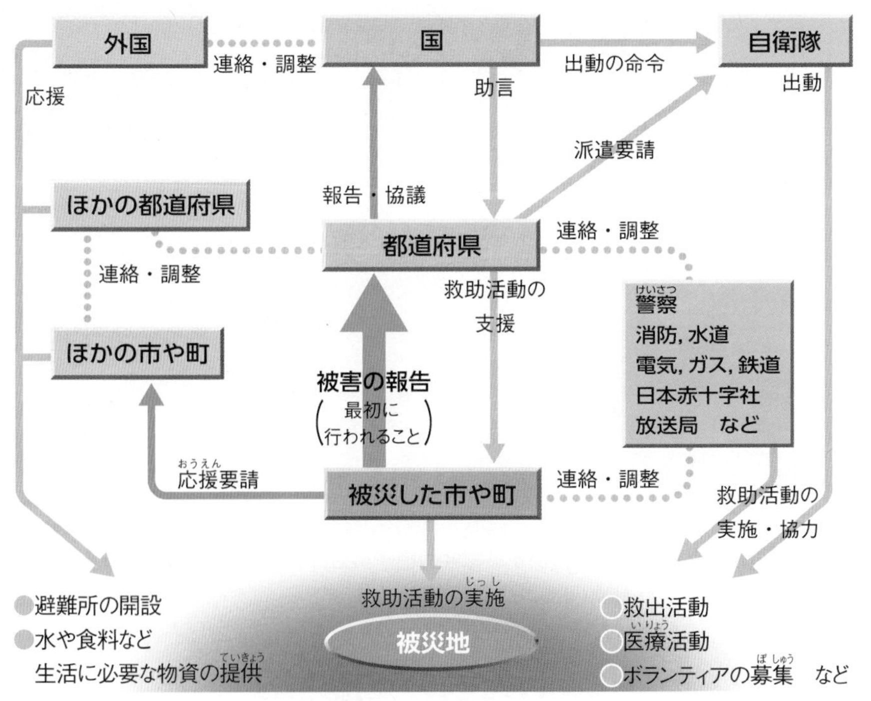

④災害から人々を助ける政治の働き

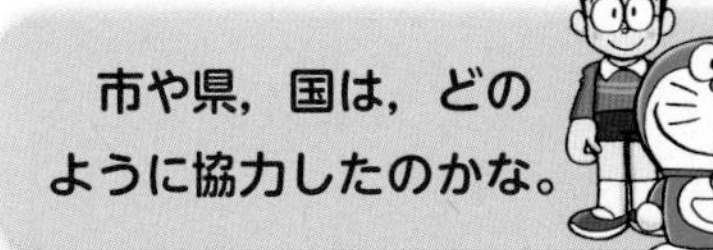

市や県，国は，どのように協力したのかな。

⑤緊急消防援助隊による救命・救出活動
より高度な技術や知識をもった東京消防庁のハイパーレスキューも参加しました。

⑥自衛隊による救命・救出活動　東日本大震災では，自衛隊による救命・救出などの活動が，いち早く行われ，被災者の大きな支えになりました。

⑦救助活動をする外国の救援隊（岩手県大船渡市）　行方不明になった人を探したり，けがをした人を救助したりしました。

国（政府）は，災害対策基本法にもとづき，緊急災害対策本部を設けました。各県と連絡を取りながら，自衛隊の派遣人数の増員や，他国への救助要請，必要な物資や機材の準備を進めました。

東日本大震災では，被害が広い範囲におよび，救助活動がとても難航しました。

国は，この緊急事態に対応するため，全国各地の消防署から緊急消防援助隊を派遣させました。自衛隊の災害派遣は，何度かに分けて増員され，過去最大の10万人規模となりました。

「国の緊急災害対策本部は，地震が起こった約30分後に設けられたそうです。」

「災害に対応するための体制は，法律にもとづいているんだね。」

調べる

復旧・復興に向けて，国はどのような取り組みを行ったのでしょうか。

月	日	主なできごと
3	11	緊急災害対策本部の設置
5	2	第一次補正予算の成立
6	20	東日本大震災復興基本法の成立 →復興資金の確保 →復興特区制度の整備 →早期に復興庁の設置
7	25	第二次補正予算の成立
11	21	第三次補正予算の成立→1
	30	復興財源確保法の成立
12	7	復興特区法の成立
		被災者軽減税制関連法の成立
	9	復興庁設置法の成立

2 **復旧・復興に向けた政治の動き**（2011年）

復旧・復興に向けて，政治はどのような働きをしたのかな。

東日本大震災復興基本法

東日本大震災からの復興についての基本理念を定めた法律で，震災から約3か月後に成立しました。国や市町村がになう責任や，国民の努力について定められています。

1 **第三次補正予算を議決する国会の様子**（2011年）　国会が補正予算を成立させたことによって，復興に向けた動きが加速しました。

復旧・復興に向けた国の支援　国（政府）は，県や市と協力して**復旧**を進めるために，国会での話し合いを経て，第一次補正予算を成立させました。これにより，仮設住宅をつくって，被災した人々が，そこへ移ることができるようにしました。

そして，水道，ガス，電気などのライフラインを復旧させたり，まち中にあふれる大量のがれきを撤去したりして，まちの整備を行いました。

また，東日本大震災の**復興**をすみやかに進めるために，国会での話し合いを経て，東日本大震災復興基本法を成立させました。

さらに，この法律にもとづいた復興を計画的に進めるため，復興庁という新しい役所を設けました。

「国会で決められた予算や法律にもとづいて，復旧・復興が進められています。」

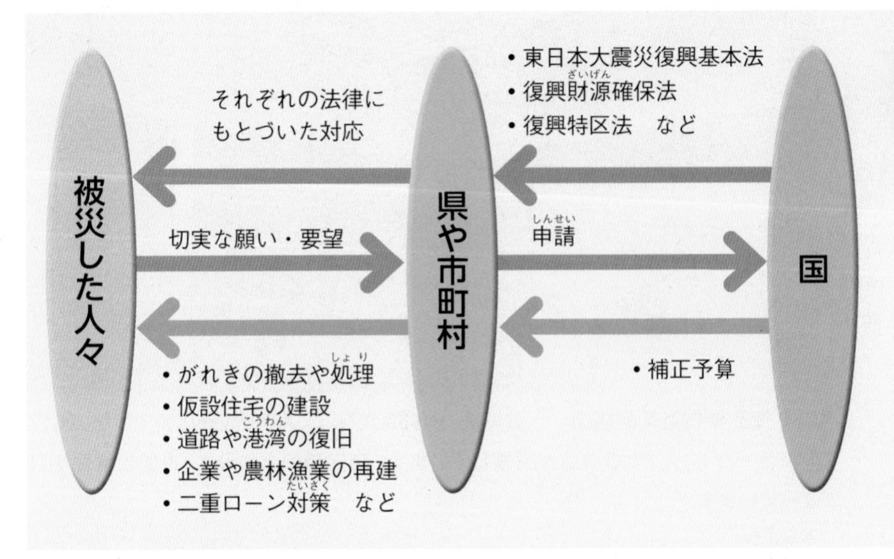

復旧・復興にかかわる予算

まちの復旧・復興にかかわる予算
…………約8兆8200億円

被災者の支援にかかわる予算
…………約8800億円

産業の再生にかかわる予算
…………約1兆3100億円

（東日本大震災復興特別会計
2012年度～2019年度の合算）

3 復旧・復興に向けた政治の働き　成立した法律や予算によって，復旧・復興に向けた動きがより具体的なものになります。

4 気仙沼市のがれきを撤去する様子（2011年）

5 かさ上げされる魚市場（2011年）

このように国は，必要な法律をすみやかに制定したり，特別な予算を立てたりして，被災地の支援を行います。これを受けて，県や市は，具体的な取り組みを行うことができるのです。

こうした予算には，国民や企業から集められた税金が使われます。税金には，働く人の収入にかかる税金，ものを買ったときにかかる税金（消費税），会社のもうけにかかる税金などがあります。なお，2013年１月１日から2037年12月31日までの間，国民や企業は東日本大震災からの復興に役立てるための特別な税金を国に納めることになっています（復興特別税）。

「わたしたちが納めている消費税も，復旧・復興に役立っているんだね。」

「税金は，みんなの生活がよりよくなるように使われていることがわかりました。」

▶税金については，43ページのことばを確認しましょう。

ことば

復旧・復興　国や都道府県が主体となって，法律にもとづいて，被災地の道路，鉄道，病院などの公共性の高いものや，水道，ガス，電気などのライフラインを修復することを復旧といいます。復旧だけでは十分でなく，被災地域の活力ある再生をめざした復興を進めていくことが求められています。

1 海の市・シャークミュージアム　震災の被害で一時閉めていましたが，2014年に再開しました。市内最大の観光施設で，震災のことを記録し，伝える取り組みにも力を入れています。

2 南町紫神社前商店街　大震災後，5年間はプレハブの仮設商店街でした。2017年にオープンし，約30の店が営業しています。商店街の上の階は，災害公営住宅になっています。

調べる

復興に向けて，市や市民は，どのような計画を立てて，どのような取り組みをしてきたのでしょうか。

復興を願う市や市民の取り組み

ひろとさんたちは，震災後の気仙沼市の取り組みについて，調べました。

気仙沼市役所の小野寺さんの話

かつおやさめの水あげが有名な気仙沼市では，水産業なしのまちの復興は考えられません。そこで，市民も参加して，いろいろと話し合い，「海と生きる」を合い言葉に，大震災を克服し，新しい気仙沼をつくるための，気仙沼市震災復興計画をつくりました。

震災復興計画をもとに，住宅や道路，橋の整備，新しい魚市場の建設などを進めてきました。市民の意見を県や国に伝えたり，予算や制度を利用して市民の要望を具体的に実現したりするのが，市役所の役割です。震災前の状態にもどすだけではなく，災害に強く，水産業という特色を生かした**まちづくり**に取り組んでいます。

「市民の願いをもとに，市が立てた計画にそって，復興が進められています。」

「まちづくりには，水産業という気仙沼の特色を生かすことが大切なんだね。」

3 震災復興会議での話し合い（2011年）
震災復興計画をつくるために，何度も話し合いが行われました。

年	月	主なできごと
2011	3	東日本大震災発生
	6	第1回気仙沼市震災復興会議→3
		震災後初のかつおの水あげ
	10	気仙沼市震災復興計画作成
	12	南町紫市場（仮設商店街）開業
2012	8	BRT気仙沼線運行開始→8
2013	3	BRT大船渡線運行開始
2014	7	「海の市」全館再開→1
2016	3	被災した気仙沼漁港岸壁の約50%の復旧完了
2017	11	南町紫神社前商店街開業→2
2019	4	気仙沼大島大橋開通→7

4 復興に向けた取り組み

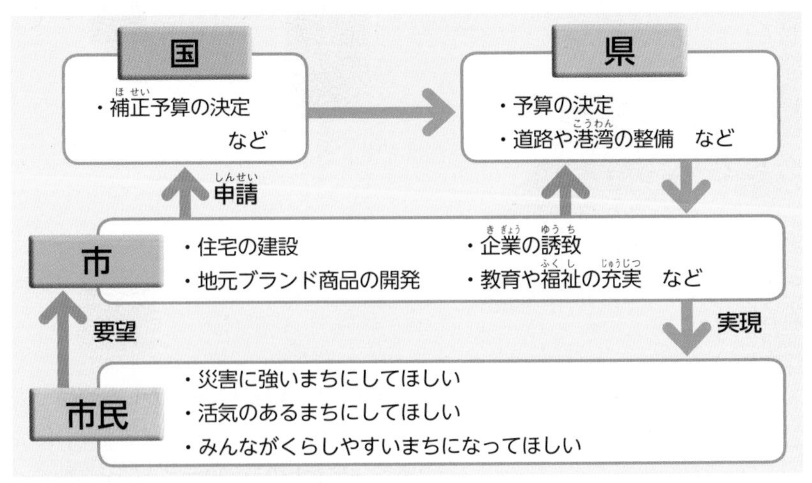

5 気仙沼市の復興に向けた取り組みの流れ

「復興を進めていくうえで，国や県の果たす役割も重要です。」

ことば

まちづくり　地震や津波などによって被害を受けた地域の活気を取りもどすには，漁業，農業，工業，観光業などの産業を支援し，再生させることが重要です。東日本大震災の被災地では，地道な取り組みが見られる一方で，まだ課題が多く，まちづくりは，これから先何年もかかるといわれています。

新しいまちづくりのために，市民はどのようなくふうをしたのかな。

気仙沼漁港の小松さんの話

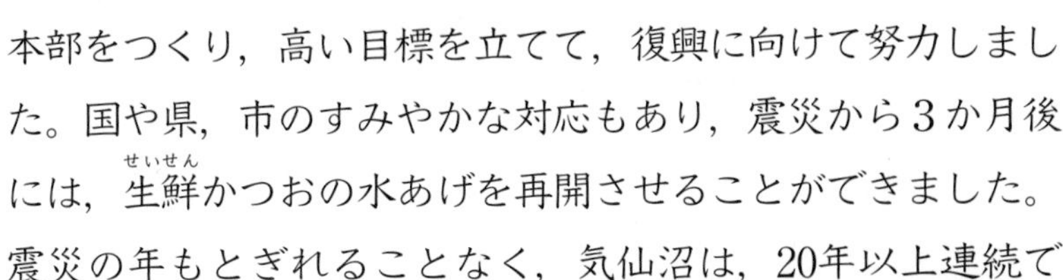

大震災による漁港のダメージは，かなり深刻なものでした。わたしたちは，すぐに対策本部をつくり，高い目標を立てて，復興に向けて努力しました。国や県，市のすみやかな対応もあり，震災から3か月後には，生鮮かつおの水あげを再開させることができました。震災の年もとぎれることなく，気仙沼は，20年以上連続で生鮮かつおの水あげ日本一を続けています。

今後は，限りある水産資源を守りながら水産業を進めていくことも大切です。

6 復興した気仙沼漁港（2017年）

「漁港の努力があって，20年以上も生鮮かつおの水あげ日本一を続けています。」

「これからに向けては，どのような課題があるのかな。」

7 気仙沼大島大橋　交通手段が船のみだった離島の気仙沼市大島へかかる橋が，2019年に開通しました。

8 BRT　震災により，気仙沼市内を走る鉄道も大きな被害を受けました。震災後は，鉄道にかわって，BRT（バス高速輸送システム）が導入され，生活や観光の面で地域の復興を支えています。

↑→1「ちょいのぞき」ポスター（上）と「漁師カレンダー」（右）　漁業を生かした観光メニューの充実(じゅうじつ)に取り組み，市の魅力を発信しています。

↑2 **気仙沼の水産資源を生かした商品**　気仙沼市の特産であるさめやほやを使い，化粧(けしょう)品(ひん)や調味料などの新しい商品の開発に取り組んでいます。

調べる

これからに向けて どのような課題があり，どのような取り組みが 行われているの でしょうか。

これからに向けたまちづくり　ひろとさんたちは，復興を進めている被災地(ひさいち)で，現在課題になっていることについて調べました。

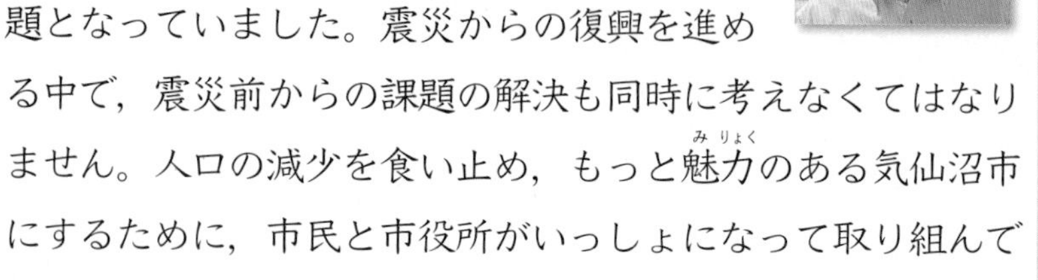

気仙沼(けせんぬま)市役所の小野寺(おのでら)さんの話

気仙沼市では，震災(しんさい)前から人口の減少が課題となっていました。震災からの復興を進める中で，震災前からの課題の解決も同時に考えなくてはなりません。人口の減少を食い止め，もっと魅力(みりょく)のある気仙沼市にするために，市民と市役所がいっしょになって取り組んでいます。

↑3 **気仙沼市移住・定住支援(しえん)センター**　気仙沼市の依頼(いらい)を受け，移住してきた若者(わかもの)が運営しています。気仙沼に移り住むことを考えている人をサポートするため，気仙沼での仕事，空き家，イベントなどの情報を提供しています。

「まちも再建されて，復興もだいぶ進んだけれど，住む人が減ってしまうと，まちが元気にならないと思います。」

気仙沼市では，「地方にある世界の港町」をキャッチフレーズに，水産資源(しげん)を生かした商品や観光メニューの開発に取り組んでいます。また，気仙沼市にもどってくる人や，各地から移住してくる人への情報提供(ていきょう)も，積極的に行っています。

復興とともに教訓を未来に伝える
―岩手県陸前高田市―

↑4 震災直後の陸前高田市

陸前高田市は，東日本大震災により市内全体が大きな被害を受けました。市役所も津波によってこわされたため，すみやかにプレハブの市役所をつくり，復旧・復興に取り組んできました。市では，震災復興計画を作成し，防潮堤の建設やかさ上げ工事を行い，まちの整備を進めてきました。

2017（平成29）年には，かさ上げした土地に，大型商業施設が完成しました。津波でこわされ仮設で運営していた図書館が入ったほか，震災後初めての公園もつくられ，市民が交流できる場所が，再びまちにもどってきました。

陸前高田市では，震災のことを後世に語りつぐという気持ちもこめて，復興祈念公園をつくり，震災の教訓を未来へ伝えようとしています。

↑6 大型商業施設「アバッセたかた」

「アバッセ」は，地元の言葉で「いっしょに行きましょう」という意味です。

たかたのゆめ

←7 復興支援米「たかたのゆめ」　この米を陸前高田のブランド米にしようという取り組みが進んでいます。

陸前高田市 ゆめ大使
たかたのゆめちゃん

↑8 まちなか広場

↑5 かさ上げ工事の様子

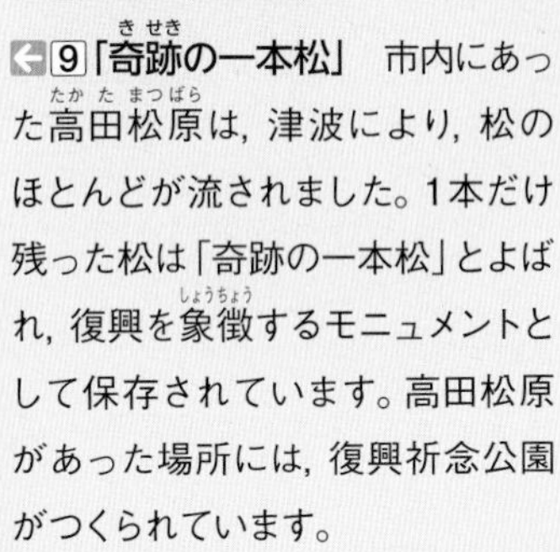

←9「奇跡の一本松」　市内にあった高田松原は，津波により，松のほとんどが流されました。1本だけ残った松は「奇跡の一本松」とよばれ，復興を象徴するモニュメントとして保存されています。高田松原があった場所には，復興祈念公園がつくられています。

まとめる

学習問題について調べてきたことを表にまとめ，自分の考えを書きましょう。

学習問題を確認しよう。

学習問題

災害にあった人々の願いは，どのような人たちの，どのような働きによって実現されるのでしょうか。

まとめの活動にことばを生かそう。

ことば

- 災害救助法
- 復旧・復興
- まちづくり

①災害にあった人々の願いと，政治の働きについて，表に整理しよう。

震災発生 → 復旧 → 復興 → これからに向けて

人々の願い	政治の働き
・避難する場所がほしい。 ・情報がほしい。 ・がれきを取りのぞいてほしい。	・国は，災害対策基本法にもとづき，…
・水道，ガス，電気を復旧してほしい。 ・早く仕事がしたい。	・県は，…
・道路を直してほしい。 ・家を建て直して，もとの場所に住みたい。	・市は，…
・災害に強いまちにしてほしい。 ・活気のあるまちになってほしい。	・国や県の決定した予算にもとづき，…

②災害からの復興に向けた政治の働きについて整理したことをもとに，まちづくりを進めていくうえで大切なことは何か，自分の考えを書いてみよう。

まちの特色を生かして，さまざまなことに取り組んでいたね。

原子力発電所事故からの復興

2017（平成29）年４月８日，福島県富岡町の「桜まつり」が７年ぶりに復活しました。富岡町の夜ノ森地区は，2km以上の桜並木が有名な桜の名所で，毎年行われていた「桜まつり」は，町の人々のじまんでした。

2011年３月11日に起きた東日本大震災で，富岡町の近くにある原子力発電所が爆発事故を起こしました。大量の放射性物質がもれ出したため，政府は周辺の市町村に避難指示を出しました。10万人以上もの人々が長期間にわたってふるさとを離れなくてはなりませんでした。富岡町の「桜まつり」も行われなくなりました。

これらの地域に人々がもどるためには，まず放射線の害をなくさなければなりません。政府は，放射性物質を取り除く除染作業を進めました。そして，道路や水道などの生活を支える設備の復旧も進めました。

こうした取り組みにより，少しずつ避難指示が解除され，人々が避難先からもどるようになりました。そして，事故から６年後の2017年４月１日，富岡町の一部で避難指示が解除され，７年ぶりに「桜まつり」が実現したのです。

避難指示が解除されても，何年間もだれも住んでいなかった町は，あれ果てています。働く場所も失われました。人々がもどってきて生活を立て直し，町がにぎわいを取りもどすには，まだまだ多くの時間と努力が必要です。「ふるさとにくらす」という当たり前のことが，なかなか実現できない切実な願いとなっています。その願いをかなえるため，これからも国を挙げて取り組んでいく政治の大きな働きが必要とされています。

1 **桜並木の下でよさこいをおどる人たち**（福島県富岡町，2017年） 桜は，まだ色づき始めたばかりで，並木道のほんの一部分にしか立ち入れませんでしたが，7年ぶりのにぎわいの中で，人々は，ふるさとの復興を願いました。

2 **福島第一原子力発電所**（福島県大熊町） 安全には十分注意していたはずですが，予想以上の地震や津波の被害によって爆発事故を起こしました。事故の後始末には，何十年もの時間とばく大な労力や費用が必要です。

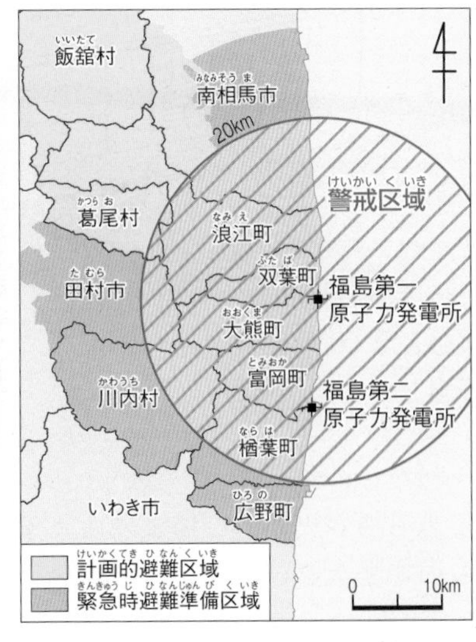

3 **避難指示が出された区域**（2011年4月22日時点） 原発事故で放射性物質が飛び散って広い範囲に降り注ぎました。放射性物質からは放射線が出ていて，たくさんの放射線をあびると健康に害があります。この時点では，「警戒区域」と「計画的避難区域」に避難指示が出ていました。避難指示が出なかった地域でも，放射線の害への不安から，多くの人々が自主的に避難しました。

いかす

公園づくりについて話し合おう

① 地域の公園づくりにわたしたちの声をいかそう。

こうたさんたちの学校のそばにある林が，市の工事によって新しく公園として整備されることになりました。新しい公園についての市民の意見を役所で募集していることを知り，どのような公園をつくるとよいか，最初に自分の願いを出し合うことにしました。

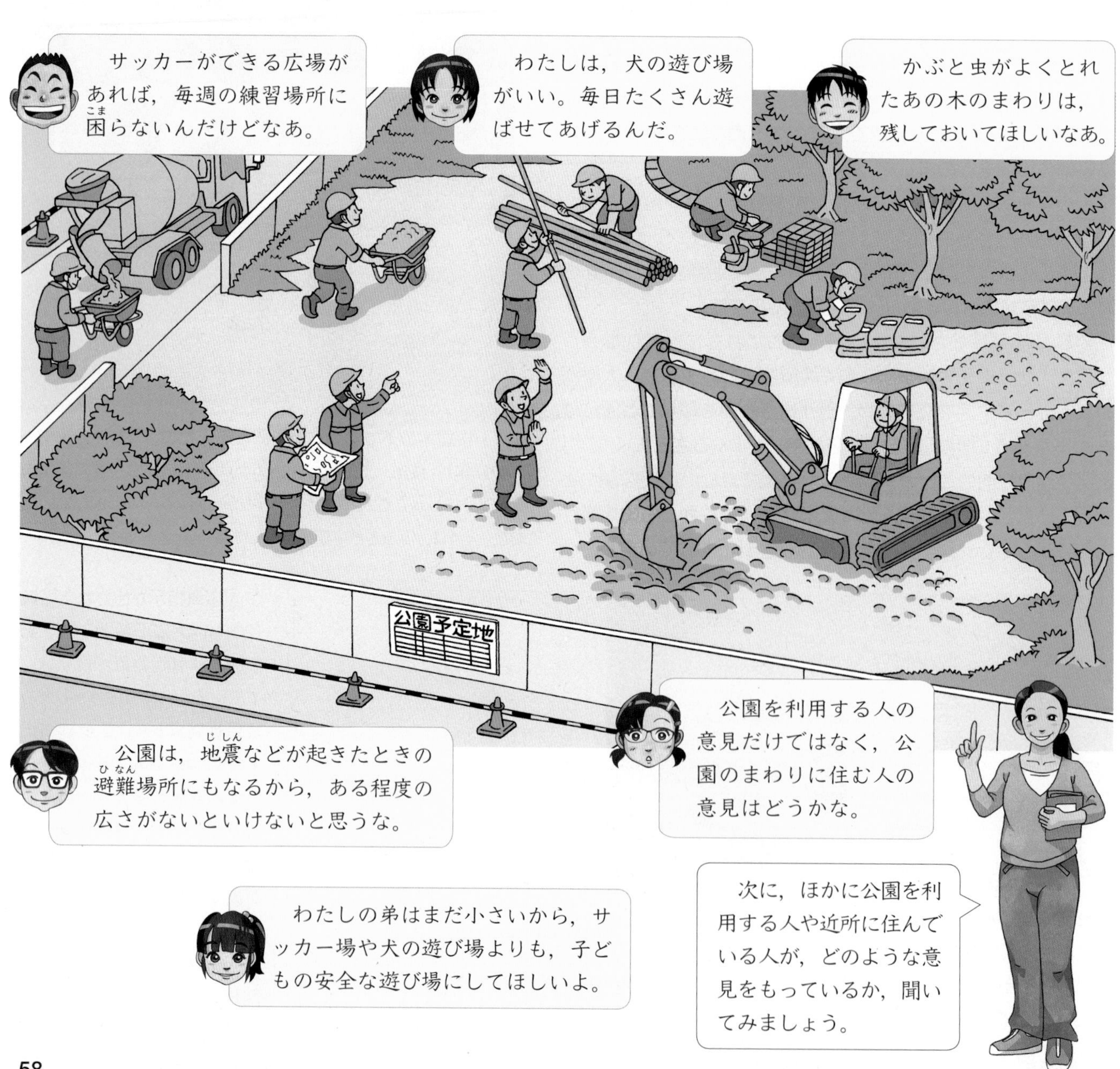

② いろいろな人の話を聞いて，ほかにどのような立場があるのか，いっしょに考えよう。

こうたさんたちは，まちの人や役所の人に話を聞いて，どのような立場があるのか，確かめることにしました。

●まちの人の声を聞きました。

家が公園のできる場所のすぐそばなので，駐車場や騒音対策は，きちんとしてほしいです。

最近は，ちょっとした段差もきついので，そのあたりを考えてくれたらうれしいです。

●役所の人にも聞きました。

公園の建設にあたっては，地区単位での意見交かん会などを行い，地域の人々の意見を取り入れるように努めています。必ずしもすべての希望がかなえられるわけではないので，優先順位を考え，少しでも多くの人に満足してもらえるように努力します。

多くの人が利用する公園について，自分の願いや意見とはちがう立場の人もいることに気づいたかな。こうした願いをまとめるには，何が大切なのか，次に考えてみましょう。

③ 多様な意見を取りまとめていくために，どうすればよいか，みんなで話し合おう。

こうたさんたちは，多様な意見を取りまとめていくために，どのようなことに気をつけるべきか，話し合いました。

サッカーの練習場所として利用したいけれど，公園の近くに住んでいる人やほかに利用する人にとっては，音がうるさかったり，ボールがぶつかったりして，心配かもしれないね。

多くの人が利用しても迷惑にならない広さがあれば，わたしたちの願いもかなうかもしれないね。でも，そこまで土地が広くないし，公園をつくる費用が多くなってしまうんじゃないかな。

赤ちゃんや小さな子どもを連れたお母さんやお年寄りの立場を考えると，広さも大切だし，安全な公園であるかどうかも忘れてはいけないと思いました。

遊びの場，くつろぎの場として公園を利用するだけじゃなく，地震などが起きたときの避難場所でもあるよ。だから，公園の広さがどのくらいなのかによって，優先順位を決めた方がいいと思います。

ひろげる

路面電車でまちを活性化

1 路面電車

2 乗り降りが便利な路面電車

3 市内を走る路面電車

4 JR富山駅と直結する路面電車の乗り場

0 500km

富山県富山市

りくさんたちは，富山県富山市のまちづくりについて調べ，みんなで発表することにしました。

「富山市には，路面電車が南北に走っています。」

「毎日多くの人が利用する大切な公共の交通機関です。」

「富山駅北側の路面電車は，ライトレールとよばれていました。」

「ライトレールは，どのようにしてつくられたのかな。」

ライトレールをつくる前に

ＪＲ富山港線は，沿線人口に大きな変化がないにもかかわらず，1990（平成２）年には１日当たり約6500人だった利用者が，2004（平成16）年には約3200人にまで減少しました。

そこで，富山市は「高架化する，バスに転かんする，路面電車化する」などの案を検討しました。そして，お年寄りなど，自動車を自由に使えない人たちのことも考えて，路面電車の案に決めました。

5 JR富山港線

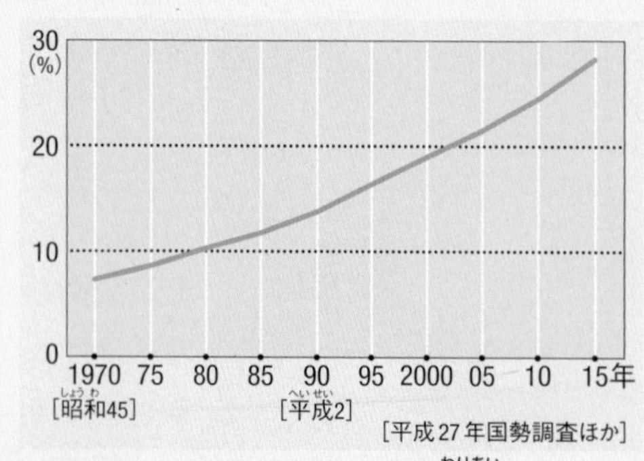

6 富山市の65才以上の人口の割合

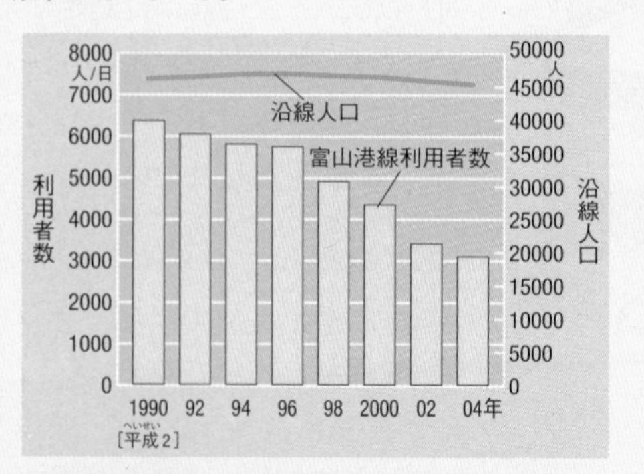

7 富山港線の利用者数と沿線人口の変化

国と協力してつくったライトレール

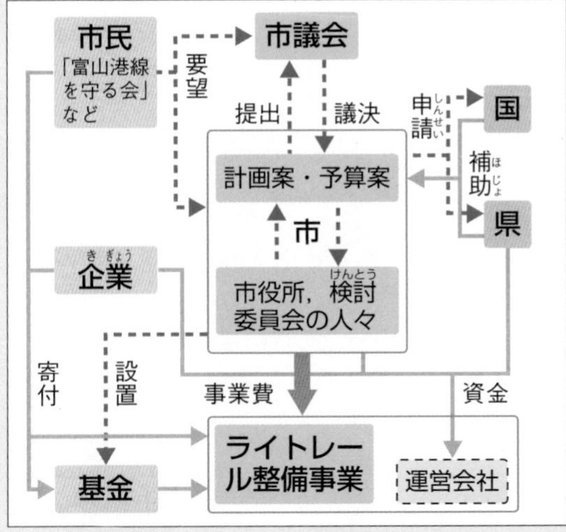

⬆8 ライトレール整備事業のしくみ

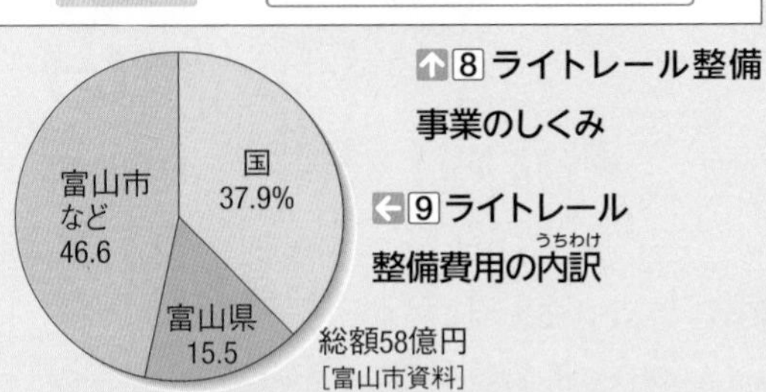

⬅9 ライトレール整備費用の内訳　総額58億円
［富山市資料］

富山駅北側を走るライトレールは，公共交通の便利さと中心市街地のにぎわいを考えて計画が立てられました。そして，市民の意見を広く聞いたり，国や県からの補助金を受けたりして，2006（平成18）年に完成しました。

完成後は，富山市が線路などを整備し，民間の会社が運営をするしくみになりました。このしくみを実現するには，国が法律を整えるなどの協力がありました。このように，国が資金や制度づくりを支援してライトレールが完成しました。

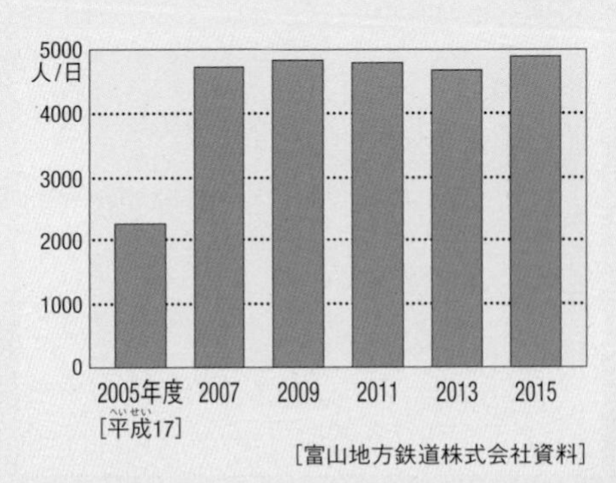

➡10 ライトレールの利用者数の変化（平日1日あたり）
2005年度はJR富山港線。
［富山地方鉄道株式会社資料］

にぎわいをみせる富山市

富山市では，中心市街地の開発も進んでいます。市立図書館や大型商業施設，高層マンションなどが建設されました。また，さまざまなイベントも行われています。ライトレール沿線には，集合住宅が増え，ライトレールを利用して中心市街地へ出かける人も増えました。このように，富山市は，路面電車の整備とまちづくりを合わせて行うことでにぎわいをつくりだしてきました。

また，2020（令和２）年２月に，ライトレールの会社が市内電車の会社と合併し，３月には，富山駅をはさむ南北の路面電車の直通運転が開始されました。これにより，富山駅より北側の地域に住む人たちが市の中心部に乗りかえなしで出られるようになりました。また，南北の路面電車の運賃が均一になり，より利用しやすくなりました。

⬆11 中心市街地のにぎわいの様子　ガラス屋根の天気に左右されない多目的広場でイベントが行われています。

⬆12 中心市街地の大型商業施設　高層マンションや映画館などが入った大型商業施設が建設されました。

いかす

新聞を読もう

① 新聞にもっと関心をもち，政治に関して気になった記事を出し合おう。

投票率53・68%

小選挙区 戦後2番目の低さ

総務省は23日、今回の衆院選（小選挙区）の投票率が53・68%だったと発表した。戦後最低だった前回2014年の52・66%をわずかに上回ったが、戦後2番目の低さとなった。台風21号の接近で投票日に各地で荒天となったことが影響したとみられる。

発表によると、当日有権者数は1億609万1229人で、うち5695万2631人が投票した。選挙権年齢が18歳以上に引き下げられて初の総選挙となり、有権者数は前回より約213万人増えた。

衆院選の投票率は、1996年に小選挙区比例代表並立制が導入されて以降、12年までは60%前後から70%弱で推移。政権交代が焦点となった09年は現行制度で最も高い69・28%を記録したが、前回は戦後最低となった。

比例区の投票率は前回より1・03ポイント高い53・68%だった。

衆院選の投票率

都道府県	小選挙区	比例区（前回）	小選挙区前回
北海道	60.30	60.29 (56.34)	56.35
青森	54.17	57.04 (52.55)	46.83
岩手	59.15		56.23
宮城	52.83		49.23
秋田	60.57		55.78
山形	64.07		59.15
福島	56.69		52.51
茨城	▼51.53	51.56 (52.35)	55.24
栃木	51.65		50.10
群馬	51.97		51.72
埼玉	▼51.44		51.97
千葉	▼49.89	51.62 (53.13)	51.24
神奈川	▼51.97		53.88
山梨	60.71		59.18
東京	53.64	53.63 (54.36)	54.36
新潟	62.56	59.32 (51.90)	52.71
富山	54.00		47.46
石川	58.16		49.16
福井	55.92		50.00
長野	60.40		55.48
岐阜	56.55	55.62 (54.62)	52.92
静岡	56.32		55.61
愛知	54.65		54.19
三重	57.09		56.20
滋賀	56.32	50.00 (51.32)	53.79
京都	▼50.90		50.99
大阪	▼48.39		50.67
兵庫	▼48.62		50.86
奈良	55.66		55.60
和歌山	52.96		51.05
鳥取	56.43	52.58 (51.96)	54.38
島根	60.64		59.24
岡山	▼50.09		50.60
広島	50.17		50.02
山口	55.23		53.07
徳島	▼46.47	50.70 (49.70)	47.22
香川	53.08		50.56
愛媛	50.74		49.80
高知	51.87		50.98
福岡	53.31	55.20 (50.91)	48.81
佐賀	59.46		57.77
長崎	57.29		51.13
熊本	57.02		50.06
大分	56.98		56.11
宮崎	50.48		49.86
鹿児島	56.09		50.47
沖縄	56.38		52.36
全国	53.68	53.68 (52.65)	52.66

小数点以下第3位を四捨五入。
▼は戦後最低

①選挙の投票率に関する新聞記事

改憲議論呼びかけ

第4次安倍内閣発足

首相会見

補正予算を編成

第195特別国会は1日召集され、安倍晋三首相(63)が首相指名選挙で第98代首相に選出された。閣僚全員を再任し、同日夜、自民、公明両党の連立による第4次安倍内閣が発足した。首相は衆院選で与党が3分の2（310議席）を維持したことを受け、与野党に憲法改正に向けた議論を呼びかけた。（2、3面にクローズアップ、5面、社会面に関連記事）

首相は1日夜、首相官邸で記者会見し、憲法改正について「与党、野党に関わらず、幅広い合意を形成する努力を重ねていかなければならない」と語った。国民投票の時期に関しては「スケジュールありきではない。2019年夏の参院選にあわせるといった議論をする考えはない」と述べた。政権運営については「責任の重さを胸に刻み、謙虚な姿勢で、真摯にあたっていく」と説明した。

また、中小企業の設備投資などを支援する「生産性革命」や幼児教育無償化などの「人づくり革命」について「車の両輪として少子高齢化に立ち向かう」と強調。これらを盛り込んだ2兆円規模の政策パッケージを来月上旬に取りまとめる考えを示した。待機児童解消に向けた受け皿整備などを盛り込んだ17年度補正予算案を編成することも表明し、会見後に開かれた初閣議で指示した。

首相は首相指名を受けた衆参の本会議後に、公明党の山口那津男代表と党首会談を開き、組閣本部を設置。閣僚の一部の担務を見直し、男女共同参画担当を松山政司1億総活躍担当相から野田聖子総務相に移した。山口氏は記者団に「おごることなく、謙虚に真摯に取り組む姿勢が重要だ」と述べ、首相に慎重な政権…

首相指名選挙結果（敬称略）

〈衆院〉
投票総数 465票（過半数233）
安倍晋三 312票
枝野幸男 60票
渡辺周 51票
大塚耕平 16票
志位和夫 12票
片山虎之助 11票
前原誠司 1票
鳩尾英一郎 1票
無効 1票

〈参院〉
投票総数 239票

第4次安倍内閣 2017年11月1日発足

総理	安倍晋三	
環境	中川雅治	再任
副総理、財務、金融	麻生太郎	再任
防衛	小野寺五典	再任
総務、女性活躍	野田聖子	再任
官房	菅義偉	再任
法務	上川陽子	再任
復興	吉野正芳	再任
外務	河野太郎	再任
国家公安、防災	小此木八郎	再任
文部科学	林芳正	再任
沖縄・北方、消費者	江崎鉄磨	再任
厚生労働、働き方改革、拉致	加藤勝信	再任
1億総活躍	松山政司	再任
農林水産	斎藤健	再任
経済再生、人づくり革命	茂木敏充	再任
経済産業	世耕弘成	再任
地方創生、行政改革	梶山弘志	再任
国土交通	石井啓一	再任
五輪	鈴木俊一	再任

②内閣発足に関する新聞記事

昨年の参院選「合憲」

最高裁

1票格差3・08倍 合区で縮小 評価

議員1人当たりの有権者数の差（1票の格差）が最大3・08倍だった2016年7月の参院選選挙区選は違憲だとして、二つの弁護士グループが選挙無効（やり直し）を求めた16件の訴訟で、最高裁大法廷（裁判長・寺田逸郎長官）は27日、格差は「合憲」とし、請求を棄却する判決を言い渡した。隣り合う県の選挙区を統合する「合区」が初めて導入された結果、格差が大幅に縮小したことを評価した。最高裁が参院選を合憲と判断したのは07年選挙以来。

15人の裁判官のうち、11人の多数意見。残り4人のうち、2人が「違憲状態」としたほか、2人は「違憲」とする反対意見を述べた。

最高裁は、最大格差が5・00倍だった10年選挙と4・77倍だった13年選挙を「違憲状態」と判断し、都道府県単位の区割りの見直しなど抜本改革を求めた。これを受けて国会は、15年に公職選挙法を改正。参院選で初めて合区を導入し、「鳥取・島根」「徳島・高知」の各選挙区を統合するなどして定数を「10増10減」した。訴訟では、この取り組みにより、最大格差を3・08倍に縮小させた点をどう評価するかが焦点だった。

③裁判に関する新聞記事

首長と震災

2011.3.11 被災自治体の6年 中

高台移転 速さ最優先

大規模事業を進める宮城・東松島市長

野蒜地区の高台移転の主な経緯

2011年 3月	東日本大震災が発生
4月	市が復旧・復興指針を発表し、高台移転へ検討開始
12月	市が高台移転計画を決定、移転先の用地買収を開始
12年11月	工事スタート（総事業費約630億円）
14年 1月	ベルトコンベヤーで土砂搬出開始
15年 5月	移転先の高台を通るJR仙石線再開
16年 5月	宅地（278区画）の引き渡しが始まり、11月に完了
17年 8月	災害公営住宅（170戸）の引き渡しが終了予定

④東日本大震災からの復興に関する新聞記事

② 出し合った記事の中から気になったものを選び，カードに整理して発表しよう（発表した後に友だちの意見も聞こう）。

選挙の投票率について

1．記事の大まかな内容

　選挙権年令が 18 才以上に引き下げられて初めての衆議院の選挙について，戦後２番目に低い投票率だったという記事。

2．意見・感想

　政治に対する期待は，大きいけれど，投票率は，わたしたち国民の願いをどこまで実現できているかにえいきょうすると思いました。

3．記事と政治や憲法との関連について

4．友だちの意見・感想

わたしたちの願いの実現と投票率は，深いつながりがあると思います。

③ みんなの発表を通して感じたことや考えたことを話し合おう。

新聞は，世の中に起きていることを広く取り上げているよ。ふだんから読むようにしたいね。

一つの話題を細かく書いている場合もあるね。ほしい情報を見つけたいときは，たよりになると思います。

同じ記事でも，新聞によって書き方や評価がちがう場合があるよ。読み比べることも必要じゃないかな。

このあとは，歴史編 2 日本の歴史 を学習しましょう。

3 世界の中の日本

わたしたち人類は，
どのような共通の願いを
もっているのでしょうか。

人類共通の願い　わたしたち人類は，平和な国際社会をめざし，さまざまなくふうや努力を重ねてきました。日本は，国際社会において平和や環境などの分野で重要な役割を果たし，世界の多くの国々や地域と交流しています。

しかし，国際社会は，現在でも国と国との紛争，環境汚染，限りある資源，飢えや貧困などの問題に直面しています。世界がかかえる問題に対して，日本に住むわたしたちは，世界の多くの国の人々とともに，どのようなことをしていけばよいのか，考えてみましょう。

めあて

わたしたちは，どのようにして，世界の人々とともに生き，平和な社会を築いていけばよいのでしょうか。

⬆1 世界少年野球大会の様子

⬆2 鑑真(がんじん)が建立(こんりゅう)した唐招提寺(とうしょうだいじ) 国宝 世界遺産

⬆3 アメリカやオーストラリア産の肉

➡4 韓国製のスマートフォン

⬆5 サウジアラビアから石油を運ぶ船

⬅6 中国から来たパンダ

⬅7 ドイツ製の自動車

➡8 イタリア料理のピザ

[2017年　外務省資料]

順位	国名	人数
1	アメリカ合衆国	42万6206人
2	中華人民共和国	12万4162人
3	オーストラリア	9万7223人
4	タイ	7万2754人
5	カナダ	7万25人

⬆9 日本人が多く住む海外の国

1 日本とつながりの深い国々

つかむ

これまでの社会科の学習や日ごろの生活をふり返り，日本とつながりの深い国を見つけて，話し合いましょう。

日本は，世界の国々とどのようなつながりがあるのかな。

日本と関係の深い国を探(さが)そう　ひろとさんたちは，身のまわりにある外国産のものや，文化やスポーツを通じた外国との交流について話し合いました。

「スーパーには，アメリカやオーストラリアから輸入された牛肉が売られていたよ。」

「アメリカや中国(ちゅうごく)など，さまざまな国に住んでいる日本人がいるんだね。」

「家の電化製品や洋服を調べたら，アジアの国々でつくられているものがあったよ。」

「スポーツでも外国と交流しているね。少年野球の国際大会に友だちが参加しました。」

「５年生のときに，日本が使っている石油の大半は，サウジアラビアなどの国から輸入していることを学習しました。」

ひろとさんたちは，つながりが深そうな国を四つあげて，これまで学習したことやニュースで聞いたことなどを整理しました。

これまでの社会科で学習した外国とのかかわりを思い出してみよう。

アメリカ合衆国

- 日本から自動車や精密機械などが多く輸出されている（輸出相手国第２位）。
- 幕末にペリーがやってきて，長く続いた日本の鎖国が終わった。
- 日本人の野球選手が，アメリカの大リーグで活やくしている。

↑10 輸出される自動車

↑11 活やくする野球選手

大韓民国

- アジアで初めて，日本と韓国の共同によるサッカーワールドカップが開かれた。
- 聖武天皇のころに，朝鮮半島からの渡来人によって大仏づくりの技術が伝わった。
- 韓国の食に欠かせないキムチは，日本でも食べる人が多い。

↑12 日韓ワールドカップ

↑13 キムチづくり

中華人民共和国

- 日本の企業が，人口の多い中国の市場に進出している。
- 日本から遣隋使や遣唐使が送られ，中国の文化が日本に伝わった。
- 横浜や神戸に「中華街」とよばれるエリアがあり，観光スポットになっている。

↑14 進出する日本企業

↑15 横浜中華街

サウジアラビア

- 日本は，石油のほとんどを海外から輸入していて，サウジアラビアからいちばん多く輸入している。
- イスラム教が国の宗教になっている。
- 日本の企業が，水不足を補うために海水を水にする工場をつくっている。

↑16 製油所

↑17 イスラム教の聖地

	アメリカ合衆国	中華人民共和国	大韓民国	サウジアラビア
国旗				
意味	赤と白の横線は独立したときの13州，星は現在の州の数（50州）を表しています。	大きな星は中国共産党，小さな星は労働者，農民などの国民を表しています。	円の赤は陽，青は陰，白地は平和を愛する心，四すみの印は天・地・火・水を表しています。	イスラム教の聖典であるコーランの一節を示したアラビア語の文字と正義を意味する剣をえがいています。
首都	ワシントンD.C.	ペキン	ソウル	リヤド
面積	約983万km^2	約960万km^2	約10万km^2	約221万km^2
人口	約3億2700万人（2018年）	約14億1500万人（2018年）	約5100万人（2018年）	約3400万人（2018年）
主な言語	英語	中国語	韓国語	アラビア語（公用語），英語

つかむ

学習問題をつくり，日本とつながりの深い国を1か国選び，人々の生活について調べる学習計画を立てましょう。

自分の関心だけでなく，人口や国土の面積などの情報も参考にしながら，調べる国を決めるといいね。

調べる国を決めよう　ひろとさんたちは，日本と関係が深そうな四つの国の国旗，首都，国土の面積，人口，使われている主な言語について調べて発表し，みんなで学習問題をつくりました。

「四つの国の中には，国土の広さや人口についてのちがいがありました。きっと人々の生活にもえいきょうしていると思います。」

「使われている主な言語もそれぞれの国でちがっています。それぞれの国は，日本とどのような関係なのか調べてみたいね。」

学習問題

日本とつながりの深い国の人々は，どのような生活をしていて，その生活には日本とどのようなちがいがあるのでしょうか。

▶外国語「世界のさまざまな国と国旗」

学習問題 について予想しよう

気候や宗教によって，服装や食べ物がちがってくるんじゃないかな。

中国や韓国などの近い国なら，共通点がきっと多いと思います。

遠い国であっても，ニュースでよく見る国なら，産業，文化，スポーツなどでつながりが深いかもしれないよ。

学習計画 を立てよう

日本と調べる国について，似ている点やちがっている点を探してみよう。

調べること

●衣食住の特色

・伝統的な服と日常の服　・特色ある料理や食事のマナー

・伝統的な建物や現代的な建物

●学校の様子や子どもたちの生活

・授業の様子　・お昼の様子　・放課後の生活

●文化やスポーツ，産業について

・季節の行事　・どのような宗教があるのか

・人気のある世界遺産　・人気のあるスポーツ

・人々の仕事やさかんな産業

調べ方

●調べる国について書かれた本や新聞記事を集めて読む。

●自分たちの地域に住んでいる外国の人やその国へ行ったことがある身のまわりの人に話を聞く。

●インターネットで外務省やその国の観光局の公式サイトを調べる。

まとめ方

●調べたことを項目ごとに整理して，ノート，作文，新聞，カードにまとめる。

●それぞれの国の人々の生活の特色について，日本と似ている点やちがっている点を話し合う。

●意見文をつくり，発表会を開く。

まなび方コーナー

発表会を開く

外部の人に成果を伝える

【発表会の前に準備すること】

- 調べる学習でお世話になった人に改めてお礼し，発表会に招待したいことを伝える。
- 発表会の招待状を送る。

【学習の成果を伝える】

- 各国の人々の生活の様子について，項目ごとに分けて発表する。
- 日本と似ているところとちがうところを発表する。
- 最後に，自分が調べた国だけでなく，ほかの３か国の様子もふまえて意見文を書き，各グループの代表者を決めて発表する。

「世界の小学生の学校生活」「キッズ外務省」

アメリカと日本

調べる

アメリカの小学生は，どのような生活をしているのでしょうか。

アメリカの学校の様子　アメリカ（アメリカ合衆国）の人々の生活について調べることにしたひろとさんたちは，アメリカに住むメグさんにテレビ電話で質問しました。

「わたしが住んでいるのは，ワシントン州のシアトル市です。これからわたしの１日をしょうかいします。」　5

メグさんのある１日

8：15 ─ 9：15	英語
9：15 ─ 10：15	社会
10：15 ─ 10：30	休み時間
10：30 ─ 11：30	コンピューター
11：30 ─ 12：35	スペリング
12：35 ─ 1：15	昼食
1：15 ─ 2：15	算数
2：15 ─ 2：45	下校準備

↑1 時間割

↑2 スクールバスでの通学

「朝食は，シリアル（コーンフレークなどの加工された穀物）に牛乳をかけたものやトーストを食べます。家族がいっしょに食事をとることがほとんどです。

学校へ通う方法は，歩いたり，自転車に乗ったり，スクールバスを使ったりと，人によってさまざまです。最近は制服の学校も増えてきたようです。」

↑3 忠誠のちかい

「アメリカでは，たくさんの人種や民族の人が，いっしょにくらしています。わたしの学校でも，みんながいっしょに学んでいます。朝，学校に着くと国旗に向かって忠誠のちかいを行うのは，たくさんの人種や民族の心を一つにまとめるためです。」

「授業は，20人くらいで受けています。社会科の教科書はとても厚く，１年間使った後に次の６年生にゆずります。話し合いをしながら学ぶのは，日本と同じです。」

↑4 授業の様子

「アメリカの人は，自分の意見をとても大切にします。そのため，授業では自分の考えを述べる機会が多く，スピーチやディベートの授業が日本よりもさかんです。さらにコンピューターの授業が重視されています。また，飛び級といって，成績がとてもよい子は，どんどん上の学年に進級していきます。幼稚園から高等学校までが義務教育で，授業料や教科書は，無償になっています。」

メグさんの友だちで，ハワイ州に住んでいるケイトさんからテレビ電話がかかってきました。

「わたしが住んでいるハワイ州の学校にも，いろいろな**人種**や**民族**の子どもがいます。

わたしは，ハワイの先住民なので，ハワイの文化や言葉を教えてくれる学校に通っています。」

ことば

人種・民族　皮ふや目の色などのちがいから人間を区別する「人種」というとらえ方と，文化や言語，生活様式のちがいから区別する「民族」というとらえ方があります。こうしたちがいに対する偏見（へんけん）が，これまでたくさんの差別や対立を生んできました。差別をなくすために世界的な取り組みが進められています。

「昼食は，日本と同じように給食の学校もありますが，わたしの学校では，お弁当か，学校の売店を利用します。売店では，ピザやサンドイッチを買うことができ，みんなでランチルームで食べます。

食べ終わった後は，昼休みです。そうじは，担当（たんとう）の人がするので，わたしたちはしません。

アメリカの学校には，日本のようなクラブ活動がありません。わたしは，近くの道場で武術（ぶじゅつ）を習っています。」

「学校から帰ってからは，宿題をしたり，遊んだりします。両親が共働きの家の多くは，ベビーシッターをたのんでいます。週末などに家族でホームパーティーを楽しむ家が多く，わたしの家も金曜日によく家族でパーティーを楽しみます。

学校は9月に始まり，6月末に終わります。夏休みは，2か月あります。

ひろとさん，日本の学校生活は，アメリカの学校生活とどのようにちがいますか。」

日本の学校生活と比べてみよう。

まなび方コーナー

人々の生活の様子を調べる

衣食住・学校・行事など

- アメリカ以外の国を選ぶ場合も，人々の生活を中心に以下について調べる。
  - ⇨服装（ふくそう），特色ある料理，住居
  - ⇨小学校の様子や子どもたちの生活
  - ⇨お正月やほかの季節に行われる行事
- ほかにも人々の生活にえいきょうをあたえるようなものを調べるとよい。
  - ⇨生活に密着（みっちゃく）している宗教（しゅうきょう）
  - ⇨人々の仕事やさかんな産業
  - ⇨気候の特色

5 学校でのランチタイムの様子

6 武術の練習

7 ホームパーティー

1 アメリカの広い国土　西部・中央部・東部に区分され，国の中で時差があります。

2 大リーグで活やくする日本人投手　アメリカでは，野球は人気のあるスポーツの一つです。トップレベルである大リーグで成功するのは，とても難しいことです。

調べる

アメリカの人々のくらしや年中行事は，どのようなものでしょうか。

3 無料の高速道路

4 スーパーマーケット

日本のくらしや年中行事と，似ているところやちがうところはどのようなものかな。

人々のくらしと年中行事　ひろとさんたちは，メグさんに家族のことや休日の過ごし方について教えてもらいました。

シアトルのメグさんの話

わたしの父は，飛行機をつくる会社で働いていて，車で約30分かけて通勤しています。アメリカでは，車で移動する人が多く，日本の車もたくさん走っています。国土が広いので，車は生活になくてはならないものなのです。日本とちがい，料金のかからない自動車専用の高速道路もあります。

休日には，家族でハイキングに行ったり，野球やアメリカンフットボールの試合を見たりして過ごしています。また，家族で大型のスーパーマーケットに行き，1週間分の食料をまとめて買います。車で行きやすいように，スーパーマーケットの駐車場はとても広くつくられています。お肉やパンなどは，1日では食べきれないくらいの量が大きなふくろやパックにつめて売られています。

アメリカの文化やスポーツが，世界の国々に広まっているね。

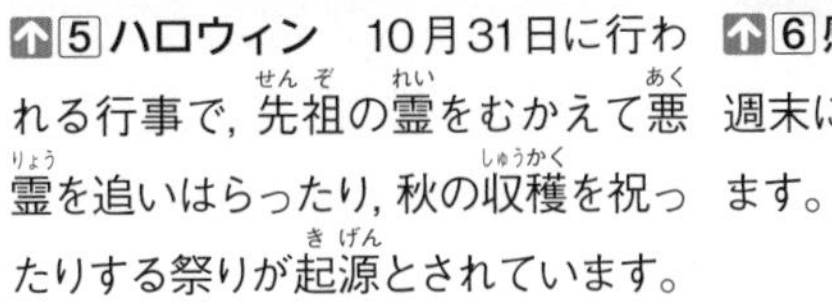

⇧5ハロウィン　10月31日に行われる行事で，先祖の霊をむかえて悪霊を追いはらったり，秋の収穫を祝ったりする祭りが起源とされています。

⇧6感謝祭　11月の第４木曜日に行われる行事で，週末には，家族や親せきが集まって，食事会が行われます。

アメリカでは，ハロウィンや感謝祭の日に家族や親せきが集まって，ともに過ごします。日本よりもリビングルームが広いのが特ちょうです。

ハロウィンの日には，子どもたちがお化けや魔女などの好きな仮装をして，近所をまわってお菓子をもらいます。

感謝祭は，17世紀にイギリスからアメリカへやってきた人々の苦労を思い，それを助けた先住民への感謝の気持ちを表すことに由来する行事です。その週末には，家族や親せきが集まって，七面鳥などのごちそうを食べて楽しく過ごします。アメリカでは，比較的，肉料理が多く出されます。

このように昔から受けつがれているたくさんの行事があり，特に12月25日のクリスマスは，１年間で最大の行事です。

世界にえいきょうをあたえるアメリカ

自動車の大量生産やコンピューター産業など，現代の生活を支えている技術や産業の多くが，アメリカで生まれました。

文化の面でも，アメリカの映画や音楽が世界の多くの人々に親しまれたり，アメリカで人気のプロスポーツに世界各国から選手が集まったりしています。

ハンバーガーやジーンズもアメリカで生まれ，世界中に広がっていきました。

グローバル化が進み，世界の大国の一つとして，政治や経済の面で大きなえいきょうをおよぼすアメリカの動きに，世界の多くの人々が注目しています。

➡7アメリカから世界中に広まったハンバーガーの店（サウジアラビア）

日本だけでなく，世界の各国で売られています。

ことば

グローバル化　現代は，インターネットや衛星放送で世界各地のできごとがすぐに伝わり，国境をこえた活動をしている企業や団体も多くなっています。そのため，ある国で起きたことが，ときには全世界にえいきょうをあたえることもあります。

①中央部の大農場

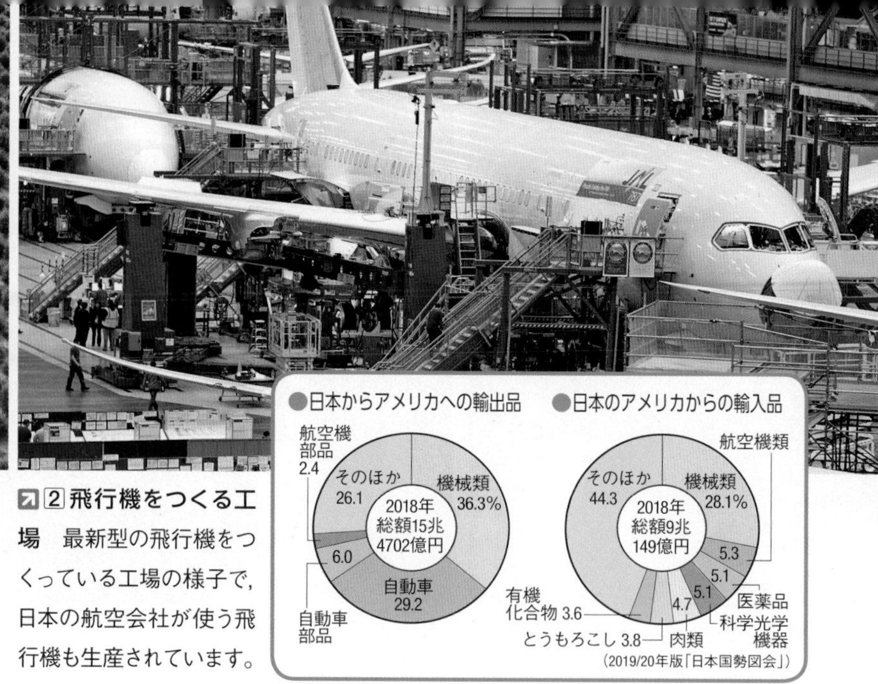

②飛行機をつくる工場　最新型の飛行機をつくっている工場の様子で，日本の航空会社が使う飛行機も生産されています。

③日本とアメリカとの貿易

広い国土を生かした産業と多文化社会　ひろとさんは，図書室にある資料などを使って，アメリカの産業の様子について調べ，日本とのつながりを見つけました。

アメリカでは，広い土地を生かして，大型機械を使った農業をしています。小麦や大豆，果物が多くつくられ，世界中に輸出されています。日本とアメリカの貿易はさかんで，日本からアメリカには，自動車や機械がたくさん輸出されています。また，アメリカは，宇宙開発の研究が進んでいて，日本をはじめとした世界各国がアメリカの開発に参加したり，協力したりしています。

広い国土をもつアメリカでは，先住民のほかに，多くの国から移住してきた人々がいっしょに生活しています。さまざまな民族が世界中から集まっているため，**多文化社会**といわれています。

調べる

アメリカには，どのような産業があり，どのような人々がくらしているのでしょうか。

④宇宙開発に使われたロケット

ことば

多文化社会　アメリカは，建国以来，多くの移民を受け入れてきましたが，グローバル化が進み，アメリカで仕事をして生活する人々が増え，より多文化な社会になっています。異なる文化をもった人々とともに生きていくための理解や協力が，今後ますます重要です。

ロサンゼルスのしょうたさんの話

アメリカには，いろいろな国から移住してきた人々がいて，教室の中も多文化です。英語が主な言語ですが，スペイン語を話す友だちもいます。

ロサンゼルスのような大きなまちには，チャイナタウンやリトルトーキョーがあり，よく家族で中華料理や和食のお店に行きます。リトルトーキョーとは，日本からロサンゼルスに移住した人々がつくった地区のことで，日系人が多く集まっています。毎年８月には二世週祭という大きなイベントがあります。

現在では，四世，五世の子どもたちが育ち，アメリカで活やくしています。東日本大震災では，日系人の団体を中心に，まちを挙げて日本への支援活動を行いました。

5 二世週祭のパレード　約2週間におよぶ祭りの中で，このパレードが最もにぎわいます。

6 リトルトーキョー　日本食のレストラン，日本人向けの銀行や病院のほか，寺（寺院）もあります。

アメリカについて調べてきたことをカードに整理しよう。

アメリカの文化には，どのような特色があるのかな。

<学校の様子>

- スクールバスがあり，ランチタイムに好きなものを買って食べることができる。
- そうじの時間がない。
- 幼稚園から高校まで義務教育である。
- コンピューターの授業やスピーチの授業がさかんである。

<衣食住>

- ホームパーティーをして，家族で楽しんでいる。
- ハンバーガーやジーンズなど，アメリカの食や服が世界にも広がっている。
- さまざまな人種や民族の人がいっしょにくらしている多文化社会である。

<産業の様子>

- 広い国土を利用して，農業や工業がさかんである。
- 農業は，大型の機械で行っていて，畑は日本と比べてとても広い。
- 現代の生活を支えている技術や産業の多くがアメリカで生まれている。

<文化やスポーツ>

- ハロウィンや感謝祭など，季節の行事を楽しんでいる。最近では，ハロウィンは日本でも親しまれている。
- 野球やアメリカンフットボールなどのスポーツがさかんである。特に，メジャーリーグをめざして，多くの国から選手が来ている。

↑1 ペキンのまちの様子

↑2 古い建物が残る路地

中国と日本

調べる

中国のまちや小学校の様子は，どのようになっているのでしょうか。

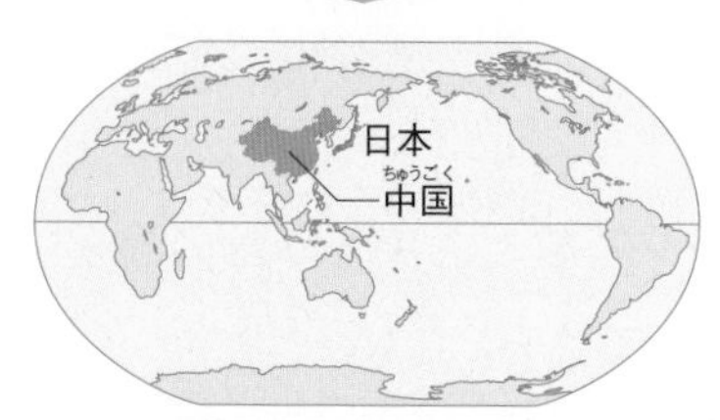

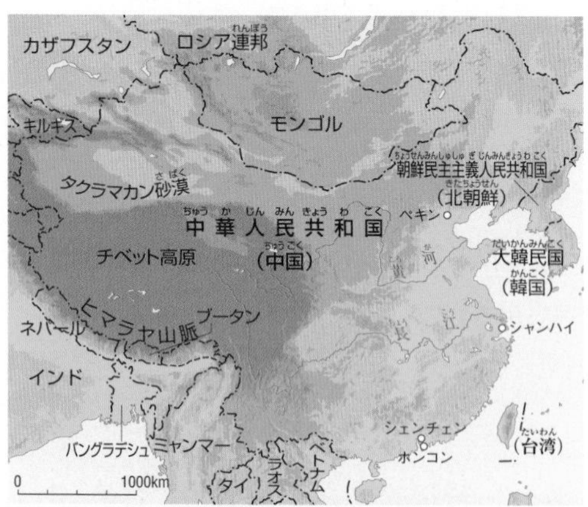

↑3 **中国の広い国土**　アメリカとほぼ同じ広さですが，人口は4倍以上の約14億人です。

中国の人々の生活　ゆうなさんたちは，中国（中華人民共和国）の人々の生活について調べるために，ペキンで生活した山田さんに話を聞きました。

ペキンで生活した山田さんの話

ペキンのまちは，とても大きく，高層ビル，高層住宅，にぎやかなデパート，車線の多い道路におどろきました。世界文化遺産の紫禁城や広い庭園，オリンピック記念公園などにも多くの人がいました。若者のファッションは，日本の大都市と同じで，それぞれの服装を自由に楽しんでいるようでした。

最近は，少なくなっているようですが，フートンとよばれる路地には，古い建物が残っていて，歴史を感じさせます。かつての日本の長屋に似ており，人々が共同生活を送っているそうです。それから，多くの人がとても親切で，道に迷ったら，ていねいに教えてくれました。

次に，ゆうなさんたちは，中国から来たワンさんに中国の小学校の生活について聞きました。

ワンさんが語る 中国の小学生の１日

「中国では，朝食に屋台のおかゆやまんとうがよく食べられています。学校には，７時過ぎに登校していました。給食は選択制だったので，お昼ご飯を家で食べるために，一度，家に帰る子どももいます。そのため，昼休みは２時間もあります。」

➡４屋台の様子

⬆５授業の様子

「わたしが通っていた学校は，１クラスが50人ほどでした。１年生から900字以上の漢字を覚えます。最近は，英語やコンピューターの授業が特に重視されるようになってきました。中国の大都市では，さまざまな教科の授業でコンピューターを活用する小学校が増えています。

また，最近まで**一人っ子政策**が行われていたえいきょうで，きょうだいのいない子どもが多く，小学校の低学年のときには，特別授業がありました。特別授業では，ゆずり合いの心や年上の人を敬う心などをくり返し教えられます。

中国では，受験のための勉強が熱心に行われていて，成績がよい人のために，飛び級の制度があります。」

日本の学校生活と比べてみよう。

「午後の学習を終えて，おそい日には午後５時ごろに帰宅します。学校から早く帰った日は，友だちどうしで集まって遊びます。卓球は，子どもたちに人気の遊びの一つで，中国には，卓球の強い選手がたくさんいます。

農村の子どもたちは，学校が終わった後，家畜の世話や家の仕事などをよく手伝うと聞いています。」

⬆６卓球で遊ぶ子どもたち

ことば

一人っ子政策　中国では，人口増加をおさえるために，夫婦の間にできる子どもを基本的に一人に制限する「一人っ子政策」を行っていましたが，逆に少子高齢化が進みました。そのため，2016年からは，すべての夫婦が2人まで産めるようになりました。

🔼1中国雑技団(サーカス)の公演の様子(シャンハイ)

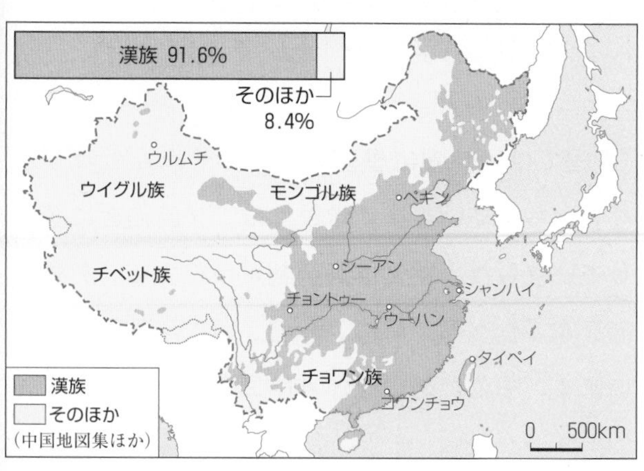

🔼2中国の主な民族　中国には50以上の民族がいて，民族によって服装，言語，習慣，生活様式がちがいます。そのため，ちがう民族がともにくらしていく場合は，おたがいの文化を尊重する姿勢をもつことが，とても大切になってきます。

調べる

中国には，どのような文化や行事があるのでしょうか。

🔼3デパートのお茶専門店　伝統的なお茶を気軽に飲むことができます。

中国の伝統的な文化　ゆうなさんたちは，中国に伝わる文化について調べ，話し合いました。

「中国と日本は古くから交流があり，中国からはたくさんのものが伝わりました。その代表的なものに，お茶や漢字などがあります。」

「中国の進んだ政治を学ぶための，遣隋使や遣唐使について，歴史で学びました。鑑真のように，苦労して日本にやってきて，正式の仏教を広めた人物もいました。」

「中国の主な民族は漢族です。日本でも広く知られている漢方薬は漢族が受けついできた薬で，草や木などを原料にしたものです。」

「中華料理といっても，気候の異なる北と南では，味付けや料理の方法が大きくちがいます。また，はしを使って食事をすることなど，日本との共通点もあります。」

日本のくらしや年中行事と，似ているところやちがうところは，どのようなものかな。

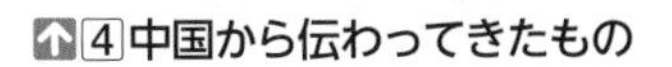

4 中国から伝わってきたもの

5 中国の春節の様子（ネイチャン）

6 春節の竜舞（横浜市） 春節のときには，竜舞や獅子舞，京劇など，中国のさまざまな伝統芸能が見られます。

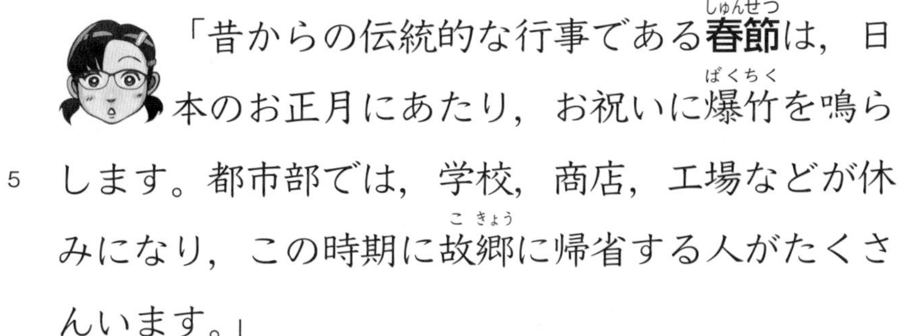

ゆうなさんたちは，季節の行事や守り伝えられてきたものについて話し合いました。

「昔からの伝統的な行事である**春節**は，日本のお正月にあたり，お祝いに爆竹を鳴らします。都市部では，学校，商店，工場などが休みになり，この時期に故郷に帰省する人がたくさんいます。」

「日本では，横浜の中華街や神戸の南京町でもお祝いの行事が盛大に行われます。」

「世界文化遺産の万里の長城は大切に守り伝えられてきたもので，日本をふくむ世界中から観光客がやってきます。」

7 春節のごちそう 魚やぶた肉を用いたたくさんのごちそうを用意して客人を厚くもてなします。

8 世界文化遺産の万里の長城 世界遺産

ことば

春節 旧暦による正月のことで，1月末から2月中旬にその日が来ます。世界各地の中華街で，盛大に行われ，お年寄りの長寿を祝い，よい年になることを願うなど，日本の正月行事にこめられた願いに共通するものがあります。

1 オリンピックのメインスタジアム

2 ペキンのマンションの様子

3 若者が集まるペキンのシータン地区　若者のショッピングがさかんで，流行が生まれるところといわれています。

経済が発展した中国と人々の生活

ゆうなさんたちは，現在，日本の最大の貿易相手国である中国の経済の様子についてワンさんに話を聞きました。

調べる

中国の産業の発展によって，人々の生活は，どのように変化したのでしょうか。

4 道にあるごみ箱
中国も，ごみの分別に取り組んでいます。

中国から転校してきたワンさんの話

中国は，経済の急速な発展によって，まちの様子や人々の生活の様子も変化しました。ペキンは，中国の政治や経済の中心地で，オリンピック・パラリンピックも開かれた大都市です。

地方でも昔風の建物が減り，マンション型の家が増えました。家計を支えるために，若い人々が農村から都市に出かせぎに来ています。発展とともに，公害対策や労働環境の改善が求められるようにもなりました。**経済特区**とよばれる地区を中心に日本の企業が進出したり，中国の企業と共同開発を行ったりして，結びつきを深めています。

ことば

経済特区　税金や貿易などで優遇されている経済特区には，外国の企業がたくさん進出しています。経済的に発展を続ける中国は，今後も世界に大きなえいきょう力をもつと考えられています。

⑤経済特区の一つであるシェンチェン　中国の経済発展の中心が，経済特区といわれる地域です。

⑥中国に進出した日本の企業の工場

経済の発展は，人々の生活にどのようなえいきょうをあたえたのかな。

世界の経済の中心の一つになった中国は，日本との貿易も活発で，電化製品や衣類，食料品など，わたしたちの身のまわりには，中国からの輸入品が多く見られます。

中国で学んだ日本人留学生，日本で学んだ中国人留学生も多く，これからの両国の結びつきを支える人材として期待されています。

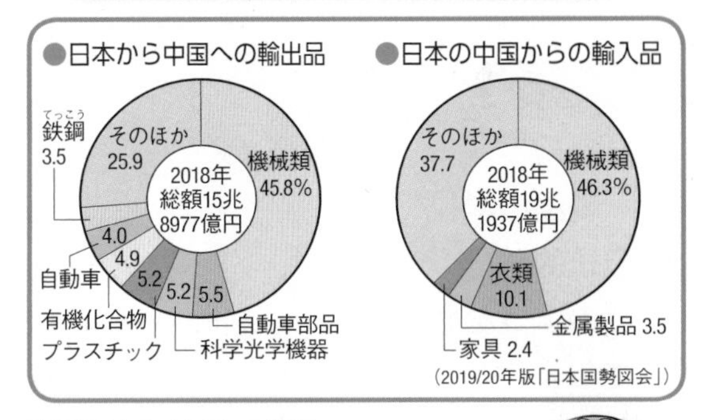

⑦日本と中国との貿易

中国について調べてきたことを作文に書こう。

調べた内容ごとにどのようなことが書いてあったか，内容を整理できるといいね。

中国を調べてわかったこと

村山ゆうな

中国には、五十以上もの民族がいて、着ている服や言葉もそれぞれちがうことを知りました。中華料理といっても、地域によって味付けや料理の方法がちがっていて、中国の広さを感じました。

一年生から覚える漢字もとても多く、さすが漢字の生まれた国だと思いました。さらに、飛び級の制度があり、日本とちがいます。

一方で、日本と似ていることもあります。例えば、春節という行事は、日本のお正月と似ていて、遠くはなれてくらしている家族が集まってお祝いをします。最近では、土地を開発したマンション型の家が増えているということも同じです。

中国は、急速な経済発展を続け、二〇〇八年にはペキンでオリンピック・パラリンピックが開かれました。日本と中国は、これからも大切なパートナーであるべきだと思います。おとなりの国どうしだからこそ、難しい問題もありますが、わたしたちが大人になったときには、中国のよさや日本のよさを話し合って、おたがいに理解していきたいです。

韓国と日本

1 活気あふれるソウルのミョンドン地区
ソウルの中で最もにぎわう繁華街で，日本からも多くの観光客がおとずれます。

2 韓国の小学校の授業の様子

日本
韓国

日本の学校生活と比べてみよう。

調べる

韓国の学校の様子，伝統的な行事や習慣は，どのようなものでしょうか。

3 韓国の国土　国土の広さは，日本の約4分の1で，日本に最も近い外国です。

韓国の人々の生活　こうたさんたちは，韓国（大韓民国）の人々の生活について，小学校の様子を中心に，図書館の本などで調べました。

「韓国の小学校は，初等学校といい，日本とよく似ています。小学校の入学式は，3月です。寒い韓国では，冬休みが長く12月20日ごろから2月上旬まで続きます。」

「上ばきにはきかえて校舎に入ること，運動会や遠足などの行事が開かれることは，日本の多くの学校と同じです。昼食も給食です。」

「授業では，英語とコンピューターが重視されています。韓国では，インターネットがさかんに活用されていて，一部の教科では，デジタル教科書を使用しています。」

こうたさんたちは，韓国に住むチャンさんに，ふだんの生活や行事について聞きました。

ソウルのチャンさんの話

韓国のソウルでは，地下鉄があちこちを走っていて，朝は地下鉄を利用して出勤します。お昼休みには，お弁当を食べたり，職場の仲間と外に食べに行ったりします。仕事が終わると，伝統的な韓国式サウナへ行くことがあります。

韓国では，家族や親せきの付き合いを大切にするため，集まって食事をすることが多くあります。

旧暦で新年を祝う**ソルラル**には，多くの人が故郷に帰省するため，高速道路はじゅうたいになります。また，ソルラルで食べる代表的な料理の一つに，もちの入ったスープがあります。みんなで先祖のお墓参りにも行きます。

5月5日は，オリニナルといわれる子どもの日です。日本と似ている行事がたくさんありますね。

⑥韓国式サウナ　汗蒸幕（ハンジュンマク）といって，身体機能を高める健康法の一つです。

④韓国の旧正月　ソルラルといって，韓国でとても大切な行事の一つです。

ことば

ソルラル（旧正月）　各地でくらしている家族が集まり，伝統的な衣装を身につけて新年を祝い，先祖を敬う儀式を行います。新年の食事や伝統的な遊びをして，楽しい時間を過ごします。

⑤ソウルの地下鉄

⑦子どもの日　日本と同じ5月5日にお祝いをします。

①伝統的な農楽　農楽は，楽器を演奏しながら，おどったり練り歩いたりする朝鮮半島の伝統芸能です。豊作をいのり，収穫を祝う農民の生活と深くかかわりながら発展してきました。

②伝統的な衣装を身につけた家族　上着をチョゴリ，ズボンをパジ，スカートをチマといいます。

調べる

韓国の文化には，どのような特色があるのでしょうか。

韓国の文化と日本との交流　こうたさんは，韓国の食事や言葉について，地域に住む韓国出身のジョンさんに話を聞きました。

③キムチづくり　冬になるとキムチづくりが始まります。最近は家でつくらず，お店でキムチを買う人が増えてきました。

日本の習慣と，似ているところやちがうところは，どのようなところかな。

韓国出身のジョンさんの話

韓国の主食は，日本と同じ米で，はしやスプーンを使って食事をします。日本では，お茶わんを手でもって食べますが，韓国では，器を手でもったり，食器に口をつけたりすることは行儀の悪いことだとされています。年長者を大切にしている韓国では，年上の人が初めに料理にはしをつけるのがしきたりです。

韓国の冬はとても寒く，体を温めるキムチなどのからい料理をよく食べています。日本でも，おいしい韓国料理を食べられるお店が増えているので，うれしく思います。

朝鮮半島では，かつて漢字が使われていましたが，500年ほど前に独自のハングル文字がつくられました。現在の韓国では，ハングル文字を使うことが，ほとんどです。

④ピョンチャンオリンピックの開会式　2018年の冬季オリンピック・パラリンピックは，韓国の東北部にあるピョンチャンで開催されました。

ことば

儒教　韓国の人々の間に深く根づいている教えで，上下関係や伝統などを重視します。韓国の人々は，家族や国をとても大切にしており，国際的なスポーツの大会などでは，国を挙げた熱い応援がくり広げられます。

韓国の人々は，**儒教**の教えを大切にし，親や年上の人をよく敬います。儒教は，中国の孔子という人が大昔に広めた教えです。日本にも，４世紀から５世紀にかけて伝わりました。

韓国では，民族衣装や行事などの伝統が大切に受けつがれています。キムチづくりもその一つで，キムチ専用の冷蔵庫がある家庭は，めずらしくありません。味付けも家庭や地域によってさまざまです。

日本と韓国は，昔から結びつきが強く，年間を通してたくさんの人が行き来をします。近年は，文化的な交流がさかんで，日本では韓国のテレビドラマや音楽が流行しました。韓国では，日本のアニメやまんがが人気を集めており，日本に来る観光客も増えています。ほかにも，サッカーワールドカップの日韓共催など，スポーツの交流も進んでいます。2018(平成30)年の冬季オリンピック・パラリンピックでは，さまざまな国の人々が韓国をおとずれました。

⑤韓国の家族の食事の様子　冬の寒さが厳しい韓国には，床下から部屋を暖めるオンドルという暖房設備があります。

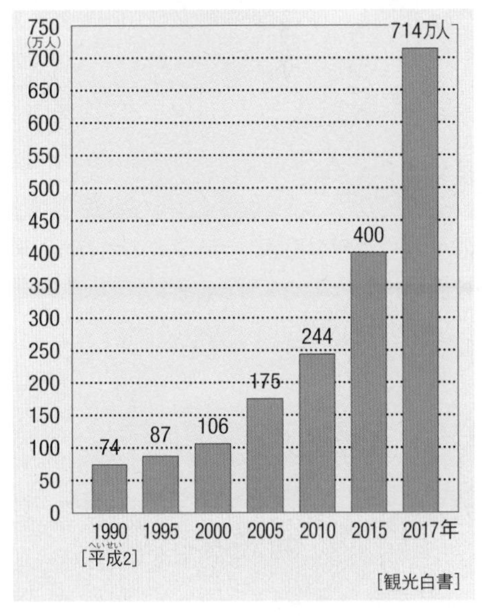

⑥日本に来る韓国からの観光客　手軽に行ける外国として，旅行者数が年々増加してきました。

1 ソウルの夜景

調べる

韓国の人々の生活にかかわる産業には，どのような特色があるのでしょうか。

2 ソウル駅の風景　ガラスにおおわれた現代的なデザインになっています。

3 ソウルのヨンサン地区にある商店街(しょうてんがい)
韓国の秋葉原(あきはばら)ともいわれ，電子産業関連の店が多く集まっています。

産業の発展(はってん)と人々の生活　こうたさんは，韓国(かんこく)の人々の生活にかかわる産業について，留学生のキムさんに話を聞きました。

留学生のキムさんの話

第二次世界大戦後に朝鮮(ちょうせん)は，韓国と北朝鮮（朝鮮民主主義人民共和国(みんしゅしゅぎじんみんきょうわこく)）に分かれました。1950年から始まった朝鮮戦争によって，現在も北朝鮮とは難(むずか)しい関係が続いています。わたしの一族は，戦争によって韓国と北朝鮮に分かれて生活をするようになり，簡単(かんたん)に会うことができません。

1970年代に入ると，韓国では，特に製鉄業や造船業，自動車産業が急速に発達し始めました。日本と同じように高度経済(けいざい)成長をとげ，1988年にはソウルオリンピックを開催(かいさい)しました。

近年では，半導体や薄型(うすがた)テレビなどの新しい産業が発展していて，人々の生活を支えています。日本でも，韓国の会社のスマートフォンを使っている人を見かけます。

④韓国の造船所　韓国は，中国や日本と並んで造船業がさかんで，3か国で世界の生産量の大半をしめています。

⑤韓国の電気機械メーカーの展示会ブース

現在，韓国では，電気機械の輸出もさかんに行われており，世界規模の電気機械メーカーもあります。さらに，韓国のインチョン国際空港は，世界150都市以上と結ばれ，24時間利用できる**ハブ空港**として，ものや人々の行き来をさかんにしています。

●日本から韓国への輸出品（2018年 総額5兆7926億円）

品目	%
機械類	38.5
鉄鋼	7.9
プラスチック	5.3
有機化合物	5.3
科学光学機器	4.3
そのほか	38.7

●日本の韓国からの輸入品（2018年 総額3兆5505億円）

品目	%
機械類	27.4
石油製品	15.3
鉄鋼	9.5
有機化合物	5.0
プラスチック	4.5
そのほか	38.3

（2019/20年版「日本国勢図会」）

⑥日本と韓国との貿易

ことば

ハブ空港　飛行機ネットワークの中心となる空港のことです。代表的な国際ハブ空港には，アラブ首長国連邦のドバイ国際空港や，イギリス・ロンドンのヒースロー空港などがあります。

韓国について調べてきたことを新聞に書こう。

（1）　かんこく新聞　令和○年○月○日

かんこく新聞

発行者 大西こうた 第一小学校 六年一組

伝統にふれる韓国の衣食住

伝統的な衣装のチョゴリを着てみました。軽くてきれいな色です。伝統的な食文化の一つであるキムチには，それぞれの家庭の味があって，日本の「おふくろの味」のようです。床下にお湯が通るパイプがあるオンドルは，韓国の伝統的な床暖房で，昔は，台所で煮炊きする熱を利用していたそうです。

●韓国の年中行事と儒教

韓国の正月にあたるソルラルでは，帰省ラッシュが起こるそうです。日本の年末年始と似ています。五月五日に子どもの日があるのは，日本と同じです。儒教の教えが根づいている韓国では，親や年上の人を敬い，伝統を大切にしています。家族だけでなく，国を大切に思うのも大きな特色の一つです。

●学校の様子と人々の生活

ソウルは東京より緯度が高くて寒く，冬休みが長いです。学校では，英語やコンピューターの授業が重視されています。韓国は，インターネットがさかんに利用されている国の一つです。韓国の秋葉原ともいわれるヨンサンという地区が，ソウルにあると聞いておどろきました。韓国製のテレビやスマートフォンを日本でもよく見かけます。

広告　韓国旅行・韓国留学は　韓国旅行社

調べてきたことが伝わるように，見出しをくふうして書こう。

サウジアラビアと日本

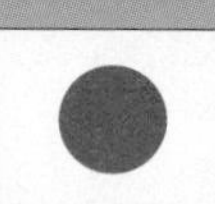

調べる

サウジアラビアの人々の生活にかかわる気候や宗教には，どのような特色があるのでしょうか。

↑1 バギーで遊ぶ子ども　夕方になると砂漠に来て，子どもたちは，バギーなどで遊びます。

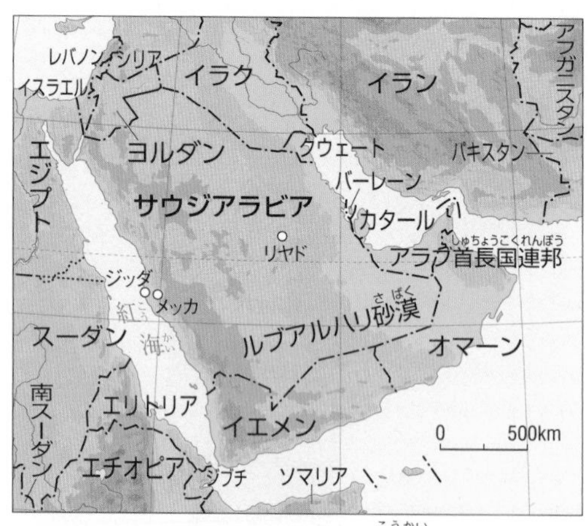

↑3 サウジアラビアの国土　紅海に面し，大きな砂漠があります。

↑2 イスラム教の聖地メッカ

気候に合わせたくらしと宗教　めいさんたちは，サウジアラビア大使館のマーヘルさんに気候や宗教について話を聞きました。

大使館のマーヘルさんの話

サウジアラビアの気候は，日本と比べてとても暑いですが，冬には，気温が大きく下がります。砂漠のイメージが強いかもしれませんが，広い国土には，雨が降る地域や冬に雪が降る地域もあります。昔は，羊や牛を飼って，砂漠を移動しながら生活していましたが，都市化が進み，今は定住している人がほとんどです。

サウジアラビアでは，金曜日と土曜日がお休みです。休みの日には，砂漠で乗り物に乗って遊んだり，みんなで集まってティータイムを楽しんだりします。

④食事の様子　大きな皿に盛られた料理を右手だけを使って食べます。米や，ホブズといううすいパンが主食です。米は，日本とちがって細長い品種のものを食べています。イスラム教では，ぶた肉を食べたり，お酒を飲んだりしません。肉はイスラム教の神にささげられたものだけを食べ，ぶた肉のエキスの入った調味料も使用しません。お祝いの場では，羊の丸焼きが出されます。地域によって，料理の仕方が異なります。

宗教と人々の生活は，どのように結びついているのかな。

サウジアラビアでは，アラビア語を話します。また，**イスラム教**を信仰しています。イスラム教は，サウジアラビアの国の宗教（国教）です。イスラム教徒は，１日５回（朝１回，昼２回，夜２回），聖地メッカに向かっていのりをささげます。サウジアラビアの新聞には，毎日のいのりの時刻が書かれています。時間になると，まちの商店も閉められ，モスクという礼拝所でイスラム教の聖典であるコーランが読み上げられます。いのりは，イスラム教徒の義務の一つです。イスラム教では，ぶた肉を食べることを禁止する教えのほか，聖地への巡礼や，ラマダンとよばれる１か月間の日中に食べ物を口にしない断食の義務があります。

⑤デーツ　なつめやしの実であるデーツは，サウジアラビアの人々にとって日常的な食べ物です。家庭では，化粧箱にデーツが入れられ，客にふるまわれます。

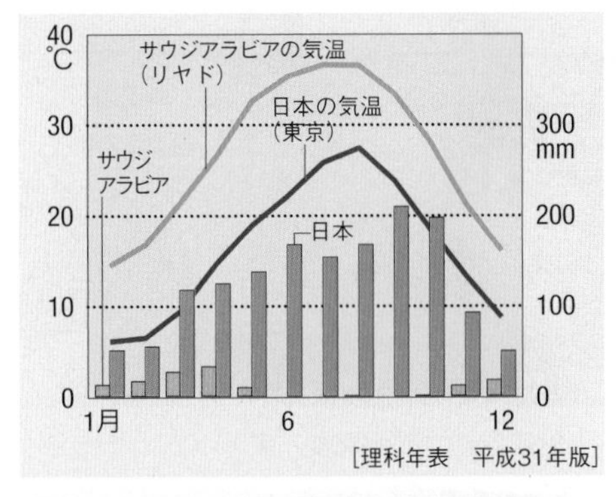

⑥サウジアラビアの気温と降水量

⑦ルブアルハリ砂漠

ことば

イスラム教　中東とよばれる地域の多くの人々に信仰されており，信者の守る義務が厳しく定められています。国教がイスラム教のサウジアラビアでは，宗教の指導者が政治的にも大きな力をもつことが多く，宗教と政治が密接に関連しています。

調べる

サウジアラビアの生活の様子や学校には，どのような特色があるのでしょうか。

⇧2砂漠で遊ぶ　サウジアラビアでは，夕方になると砂漠へ遊びに出かけることがよくあります。

⇧1ショッピングセンターでの買い物　女性が外出するときは，ふだんの服装の上に，アバヤという服を着ます。黒色のほか，グレーやベージュのアバヤもあります。

⇧3家でくつろぐ家族　家の中では，リラックスできる服が基本です。

サウジアラビアの人々の生活　めいさんたちは，マーヘルさんに人々の生活の様子について話を聞きました。

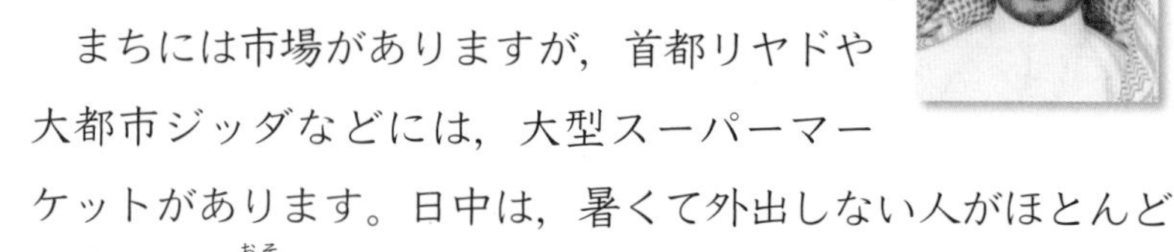

大使館のマーヘルさんの話

まちには市場がありますが，首都リヤドや大都市ジッダなどには，大型スーパーマーケットがあります。日中は，暑くて外出しない人がほとんどなので，夜遅くまで営業しています。

外出するとき，男性は，トーブという白い服，女性は，アバヤという黒い服を着ます。男性は，頭に巻くスカーフのデザインを選んだり，女性は，ししゅうや袖の形でおしゃれを楽しんだりしています。家の中では，カラフルな服を着ています。

サウジアラビアでは，利用できる施設や行動などに**男女の区別**があります。レストランには，男女別の部屋と家族用の部屋があり，結婚式の披露宴でも男女別の部屋で祝います。家にも男女別の客間があります。

ことば

男女の区別　イスラム教では，男女が同席することや女性の行動が制限されています。これについて，女性の権利がうばわれていると考える人と，宗教と生活が密接に関連している社会では当然であると考える人がいて，議論がなされています。

↑4↗5**サウジアラビアの学校**　男子と女子は別々に勉強します。

小学校は6年間で，算数，アラビア語，コーラン，英語が毎日あり，ほかに地理，理科，美術，体育などを学びます。音楽の授業はありません。人気のスポーツはサッカーで，空手を授業に取り入れている学校もあります。日本の社会科見学に似た行事もあり，らくだ市場や魚市場などを見学します。義務教育は9年間ですが，石油産業により経済が豊かなため，公立学校では大学まで授業料が無料です。

「日中は，とても暑く，学校から帰ると昼寝や宿題をして，すずしくなってから遊びに行ったり，買い物に行ったりするそうです。」

「詩をつくることが上手な人が尊敬されるため，子どものころから学ぶそうです。」

「小学校でも『コーラン』の勉強が大切にされています。決められた時間になると，みんなでそろっておいのりをします。」

↑6**学校でのおいのりの時間**

↑7**小学校にある売店**　飲み物や軽食が売られています。3時間目か4時間目が終わると，ここで軽く食事をする子どももいます。

日本の学校生活と比べてみよう。

1 砂漠の中の油田

2 製油所

調べる

サウジアラビアの産業と人々の生活には，どのようなかかわりがあるのでしょうか。

サウジアラビアの産業は，日本とどのようなつながりがあるのかな。

ことば

石油　エネルギー源やプラスチックなどの原料として，わたしたちの日常生活に欠かせないものです。サウジアラビアなどの中東諸国は，産出量が多く，石油の値段などを通じて世界に大きなえいきょう力をもっています。

石油の国，サウジアラビア　めいさんたちは，サウジアラビアに住んでいた吉田さんに，産業と人々の生活のかかわりについて話を聞きました。

吉田さんの話

わたしは，石油会社の仕事でサウジアラビアのリヤドに住んでいました。サウジアラビアは，日本の約6倍の面積のある国です。日本は，**石油**の多くを中東諸国から輸入しています。その中でも，サウジアラビアから最も多く石油を輸入しています。

サウジアラビアでは，日本の人気が高いです。日本の自動車が多く輸入されていて，まちには，たくさんの日本の自動車が走っています。また，衛星放送を通してサウジアラビア以外のテレビ局の放送を見ることができ，最近は，日本のアニメを子どもたちがよく見ています。

サウジアラビアの輸出の約90%が石油に関連したものです。石油を輸出して得たお金が国家の収入となり，教育や福祉に必要な費用は，国が負担しています。

「最近は，石油以外の産業にも力を入れています。2017年に，日本とサウジアラビアが経済発展に関する協定を結んでから，日本に来るサウジアラビアの人が増えているそうです。」

「サウジアラビアにある世界文化遺産を実際に見てみたいな。観光に力を入れているから，空港やホテルがとてもきれいだよ。」

「日本の自動車や機械類が輸出されて使われていることがわかりました。」

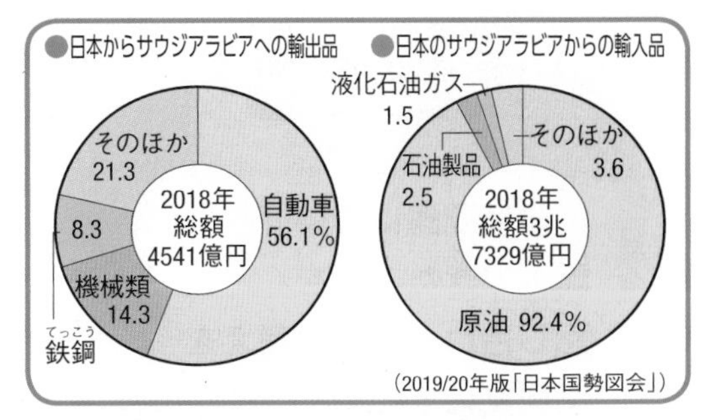

③日本とサウジアラビアとの貿易

④マダイン・サーレハ　紀元前1世紀～1世紀に栄えたナバタイ人の都市遺跡で，世界文化遺産に登録されています。世界遺産

サウジアラビアについて調べてきたことをノートに整理しよう。

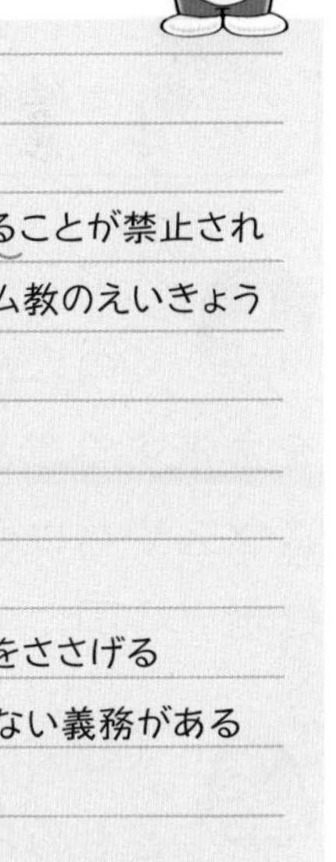

学校生活

・男女別学になっている。
→女子校は，先生もすべて女性

・人気のスポーツはサッカーで，空手を授業に取り入れている学校もある。
→義務教育は9年間で，公立学校は大学も無償

産業

・輸出の約90%が石油に関連したもの。

・多くの国がサウジアラビアの石油にたよっている。
→日本の最大の石油の輸入先

衣食住

・お酒を飲んだり，ぶた肉を食べたりすることが禁止されている。
→イスラム教のえいきょう

文化やスポーツ

・イスラム教が国の宗教になっている。
→1日5回聖地に向かっていのりをささげる
1か月間日中に食べ物を口にしない義務がある

・サッカーやらくだレースを行っている。

まとめる

学習問題について調べてきたことを話し合い，自分の考えを意見文にまとめ，発表会を開きましょう。

学習問題を確認しよう。

学習問題

日本とつながりの深い国の人々は，どのような生活をしていて，その生活には日本とどのようなちがいがあるのでしょうか。

まとめの活動にことばを生かそう。

ことば

- 人種・民族 ●グローバル化 ●多文化社会 ●一人っ子政策
- 春節 ●経済特区 ●ソルラル（旧正月） ●儒教
- ハブ空港 ●イスラム教 ●男女の区別 ●石油

① 学習問題について調べてきたことを話し合おう。

めいさんたちは，それぞれの国について調べてきたことをホワイトボードに書いて，みんなで話し合いました。

例：《韓国について調べてきたこと》

〈学校の様子〉
- 日本と比べて冬休みが長い
- 英語とコンピューターが重視されている

〈産業の様子〉
- コンピューター産業が発展している
- 電気機械が多くつくられている

〈衣食住〉
- チョゴリという伝統的な衣装がある
- キムチなどのからい料理をよく食べる
- 寒さをしのぐためのオンドルがある

〈文化〉
- 年長者を大切に敬う
- ソルラルという旧正月の行事がある

「アメリカは，人種や国をこえて多くの人が集まる国です。自分の意見を主張することを大切にしています。クリスマスやハロウィンなどの行事は，現在では世界各国に広まっています。」

「韓国は日本と近い国で，正月や子どもの日などを祝う行事もあります。また，冬が寒いので，キムチなどのからい料理が多くありました。また，チョゴリという独自の衣装もあります。」

「中国は広い国だから，土地によって食べられている料理がちがうそうです。経済が急速に発展して，世界の経済の中心の一つの国になり，ペキンでオリンピックも開かれました。」

「サウジアラビアでは，イスラム教の教えが生活に深く入りこんでいます。また，学校では男女別で学んでいます。石油に関する産業がさかんで，教育や福祉にお金がかけられています。」

② 日本と似ているところと大きくちがうところを表に整理してみよう。

	日本と似ているところ	日本と大きくちがうところ
アメリカ	●ハロウィンやクリスマスなどの行事を楽しんでいる。	
中国		◆学校生活では，お昼を家で食べるために，家に帰る子どももいる。
韓国	●ソルラルという旧正月の行事があり，家族みんなでお祝いをする。	
サウジアラビア		

一つの国を調べて，ほかの国の発表を聞いたことで，見えてきたものがあるよ。

異なる習慣や文化がいくつもあったけれど，ちがいを認め合うことが，とても大切だね。

人々の生活には，気候や宗教が大きくえいきょうしていることがわかりました。

③ 最後に学習問題に対して考えたことを意見文にまとめて，発表しよう。

日本とつながりの深い国について

浜田　めい

日本とつながりの深い国かどうかは、必ずしも日本からの距離に比例するとは限らないということがわかった。例えば、サウジアラビアは、日本からとても遠い国であるが、石油を日本に多く輸出していて、日本の産業やくらしを支えてくれている。いっぽうで、日本とちがって、イスラム教という宗教を中心にして、食事や生活習慣に決まりごとがあるということにおどろいた。

また、中国や韓国は、同じアジアの仲間であり、日本とくらし方が似ていることが多かった。中華料理や韓国料理などは、日本でもおなじみで、よく食べられている。

アメリカも、飛行機で約十時間もかかるほど遠いが、貿易やそのほかの面でとても結びつきが強い。伝統的な行事を大切にしている国なのは、日本と似ている。

世界には、さまざまな文化や考え方がある。そして、その中でその国独自の料理や行事が生まれた。だからこそ、それぞれの国で習慣もちがっている。

これから、わたしたちは、日本と生活習慣がちがう国とも、その文化や習慣を尊重してともに生きていくことを大切にしなければならないと思った。そのためには、日本の文化や伝統をよく知ることも必要だと思う。

▶発表会のやり方については，69ページの「まなび方コーナー」を参考にしましょう。

いかす

国際交流について考えよう

①オリンピック・パラリンピックと国際交流について調べよう。

オリンピック・パラリンピックに多くの国が参加していることを知ったあおいさんたちは，オリンピック・パラリンピックと国際交流について調べてみました。

①リオデジャネイロ・オリンピックの開会式（2016年）

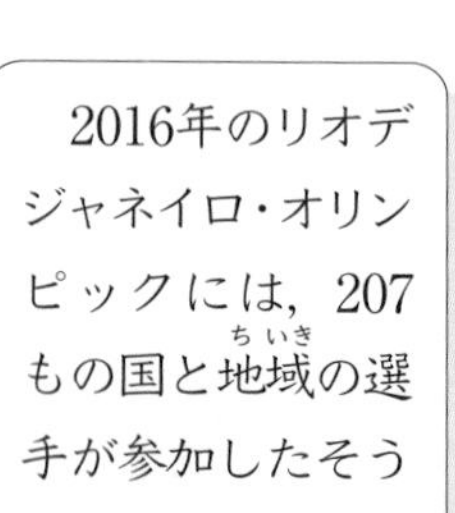

2016年のリオデジャネイロ・オリンピックには，207もの国と地域(ちいき)の選手が参加したそうだよ。

あおいさんのレポート

オリンピックはもともと，紀元前の古代ギリシャで神様をたたえるスポーツの祭典として始まりました。この古代オリンピックはその後とだえましたが，1896年に第１回の近代オリンピックがギリシャのアテネで開催(かいさい)され，2021年の東京(とうきょう)大会が第32回です（予定）。

オリンピックは，スポーツを通して体と心をきたえるとともに，世界の国々が交流し，平和な社会をつくることを大切にしており，そのことは「オリンピック憲章(けんしょう)」にもかかげられています。

また，オリンピックのシンボルである五つの輪は，世界の五つの大陸と，世界中の選手が集まることを表しています。

人々がスポーツを楽しむだけでなく，世界中の人々が交流することは，オリンピックやパラリンピックの大きな目的の一つなのです。

②リオデジャネイロ・パラリンピックの車いすバスケットボールの試合　オリンピック・パラリンピックでは，多くの日本人選手が活やくしています。

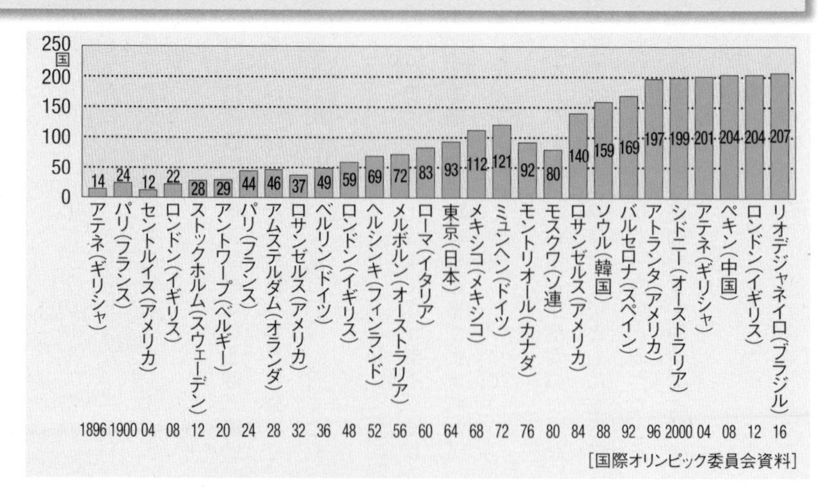

③オリンピックに参加した国と地域

②オリンピック・パラリンピック以外の国際交流について調べよう。

↑4 日本の中学校で話をするコリーンさん

アメリカ出身の留学生・コリーンさんの話

わたしは，小さなころから日本の文化に興味があり，今は日本の大学で音楽の勉強をしています。ときどき日本の小学校や中学校に行き，自分の体験を子どもたちに伝える活動を行っています。

英語で話し始めるとみんなとまどいますが，手ぶりや表情を使って十分にコミュニュケーションを取ることができます。外国の文化や人々の考え方にふれることは，自分の国への理解を深めることにもつながると思います。

歌舞伎(かぶき)の海外公演について調べました。

日本の伝統文化である歌舞伎は，海外でも高い評価を得ています。とくに浮世絵(うきよえ)がそのまま舞台(ぶたい)になったような色彩(しきさい)の美しさは，海外の人々に人気です。歌舞伎は海外でも公演を行い，文化による国際交流という点で大きな役割(やくわり)を果たしています。

古典的な歌舞伎だけでなく，新しい歌舞伎を海外にしょうかいする試みも行われています。

↑5 歌舞伎の海外公演の様子（モナコ，2009年）

③スポーツなどの国際大会で多くの外国人が日本に来た時に，わたしたちはどのようにかかわりをもつことが必要ですか。そのかかわり方について，キャッチフレーズとその理由をまとめましょう。

キャッチフレーズ 「おたがいの習慣を尊重(そんちょう)して大切にしよう」

世界には，多くの国，多くの民族が存在します。グローバル化が進む現在，わたしたちは言葉や宗教(しゅうきょう)などの文化がちがっても，おたがいの生活習慣や考え方を認(みと)め合い，大切にし合いながら生きていかなければなりません。

スポーツの国際大会などで日本にやってくる外国の人々が，日本語が理解できなくても道路を歩いたり，お店を利用したりするときに困(こま)らないように，絵やマークを活用した案内をつくるなどのくふうも大切です。

わたしは，日本とは異(こと)なる習慣をもつ国の人々への理解を深めるために，さまざまな国の文化について，もっと関心をもちたいと思います。

ほかにもある日本とつながりの深い国を調べよう

こうたさんたちは，それぞれが調べた国を発表することにしました。

こうたさんは，インド新聞をつくりました。

インド新聞
namaste!
こんにちは！

インド人が多く住む西葛西

日本に、インド人が多く住む「リトル・インド」とよばれるまちがあると聞きました。かつてインド人は神戸にたくさん住んでいましたが、一九九〇年代以降、東京の方が上回り、今では東京都江戸川区の西葛西駅周辺にたくさんのインド人が住んでいます。なぜ西葛西なのでしょうか。一九七八年に移り住み、西葛西駅の近くで紅茶屋を営むチャンドラニさんにお話をうかがいました。

①チャンドラニさん

●西葛西にインド人が住むきっかけ

西葛西駅周辺に住むインド人の多くは、IT技術者だそうです。二〇〇〇年に、日本とインドとの間で「日印グローバル・パートナーシップ」が結ばれ、IT技術をもったインド人が来日するようになりました。インド人には、宗教上の理由から肉や魚などを食べないベジタリアンが多く、日本の食生活に不便さを感じていたそうです。そこで、チャンドラニさんは、インド人の生活サポートを始めました。部屋を借りたいインド人の力になったり、インド人の口に合うインド料理店を始めたり、小さい子どもを預かる保育所をつくったりしました。また、十八年前には、インド人と日本人とが集まって楽しめる祭りも始めました。当初は、三十人ぐらいが集まる小さな祭りでしたが、今では、およそ八千人が集まるようになりました。「今ではたくさんの日本人に来てもらえるようになり、地元のお祭りの一つとして発展したのがうれしい」と話していました。祭りのちらしを見ると、ヒンディー語、日本語、英語、中国語、韓国語、フィリピノ語で「ディワリフェスティバルにようこそ」と書かれています。「だれでもウエルカムのお祭りなのです」とチャンドラニさんは話していました。

②チャンドラニさんのお店で食べられるカレー　カレーにはナン（パン）が欠かせません。

●調査を終えて

西葛西にたくさんのインド人が住むようになったのは、日本とインドとの間の協定やチャンドラニさんたちによる生活サポートや交流の場づくりなどによるものとわかりました。

チャンドラニさんは、日本に求めるものは特にないけれども、「願っていることはあります。それは、みんながみんなのことに関心をもつ、みんなで支え合うまちであってほしいということです」と話していました。

現在、西葛西のある江戸川区には三千人以上のインド人がくらしています。けれども、まちを歩いても、ここが「リトル・インド」であるとは思えませんでした。西葛西のまちは、ふだんのくらしを大切にする人が集まり、インド人をふくめた外国人とたくさんの日本人とが共生しているまちだと思いました。

③ディワリフェスティバル

あおいさんは，ブラジルについて調べたことをレポートにまとめました。

ブラジルレポート

Boa Tarde! こんにちは！

調べようと思ったわけ

サッカーが好きなわたしはブラジルに興味があります。先日，日系ブラジル人が多く住むまちがあることを知りました。日系ブラジル人が多く住むまちは，どのようなまちなのか調べようと，群馬県大泉町に足を運びました。

④サッカーワールドカップでブラジルチームを応えんする大泉町の日系ブラジル人

調べたこと

まず，大泉町の町役場の方にお話をうかがいました。大泉町は群馬県の中で最も小さな町で，その町のおよそ5人に一人が外国籍住民で，日系ブラジル人が最も多く住んでいるそうです。日系ブラジル人が住むようになってから約20年が経つそうですが，日本人住民と外国籍住民がともにくらせるように，これまで，いくつもの取り組みを行ってきたそうです。例えば，「文化の通訳」という制度があります。これは，日本の文化や生活習慣を理解してもらうための講座を開き，参加した人から周囲の人に日本のことを伝えてもらう取り組みです。また，外国の方がボランティアチームを立ち上げ，東日本大震災の復興支援を行うなど積極的に地域貢献をする取り組みもあると聞きました。

⑤大泉カルナバル

ブラジルといえばサンバが有名なので，大泉町にサンバの祭りがあるのかどうかについて大泉町観光協会の方にたずねました。すると，大泉町には「大泉カルナバル」という祭りがあって，そこでは地元のサンバチームが参加するだけでなく，国内外チームのサンバも見ることができ，全国から多くの人が集まることがわかりました。また，ブラジル料理をふくめたさまざまな国の料理が楽しめる「活きな世界のグルメ横丁」が定期的に開かれ，住民同士の交流が行われていることがわかりました。

まとめ

大泉町には，ブラジル，ペルー，南アジアの商品を売っている店が見られ，それらの商品を必要としている人々が日本人とともにくらしています。また，町の内外には工場がいくつもあり，外国籍住民が日本人と共に日本のものづくりを支えています。町役場や観光協会の方に，大泉町のよさをたずねると，「いろいろな文化を感じられるところ」，「みんなが前向きで明るいところ」という答えが返ってきました。ブラジルでは，日本といえば，東京，浜松と並んで，大泉が有名だそうです。大泉町は，ブラジルでも注目を集めているまちだということがわかりました。

⑥ブラジルの食品を売るスーパーマーケット

←1 内戦で破壊されたまち（シリア，2016年）

↑2 イスラエル軍に投石をするパレスチナの人々（2012年） 領土の主張などをめぐって，長年にわたり争いが続いています。

↑3 第二次世界大戦後の世界のさまざまな紛争

2 世界の未来と日本の役割

つかむ

世界のさまざまな課題と解決に向けた取り組みを調べ，学習問題をつくりましょう。

世界の各地で起こる紛争　あおいさんたちは，ニュースで見た，世界各地で起こっている**紛争**について，話し合っています。

「ニュースで見た紛争の場所を，地図帳で調べてみたよ。紛争は，世界のさまざまな地域で起きているんだね。」

「紛争によって，人々の命がぎせいになったり，多くの人々が家を失って苦しい生活をしていたりすることがわかりました。」

「どうしたら，このような紛争をなくすことができるのだろう。」

「紛争を防ぐための話し合いや，平和を守るための協力が大切だと思います。」

ことば

紛争　政治的・経済的な理由や民族，宗教などの問題から，国家や勢力が対立して争っている状態をいいます。武力を用いることも多くあります。

↑4 ミャンマーから避難してきた難民（バングラデシュ，2017年）

↓5 洗剤などが流入して，あわだらけになった川（ブラジル，2010年）

↑6 世界文化遺産アンコールワット西参道の修復工事（カンボジア）世界遺産

↑7 青年海外協力隊員による環境教育の様子（スリランカ，2015年）

↑8 ユニセフによる学校への援助（パキスタン）

「紛争のほかに，世界にはどのような課題があるのかな。」

「地球温暖化などの環境問題や，教育の機会や十分な食べ物を手に入れられない人々がいる貧困の問題があります。」

「歴史で国際連合について学習したね。世界のさまざまな課題を解決するために，国際連合は，どのような働きをしているのだろう。」

「課題を解決するための取り組みには，日本人がかかわっているものがあるそうです。どのようなことをしているのかな。」

学習問題

世界のさまざまな課題を解決するために，日本は世界と協力して，どのような活動をしているのでしょうか。

資料に出てくる国はどこにあるのか，地図帳や地球儀で調べてみよう。

①国際連合の本部
国際連合の本部は，アメリカのニューヨーク市にあります。

②日本人女性初の国連事務次長となった中満泉さん　中満さんは，2017年7月に国連で採択された「核兵器禁止条約」の成立に力をつくしました。

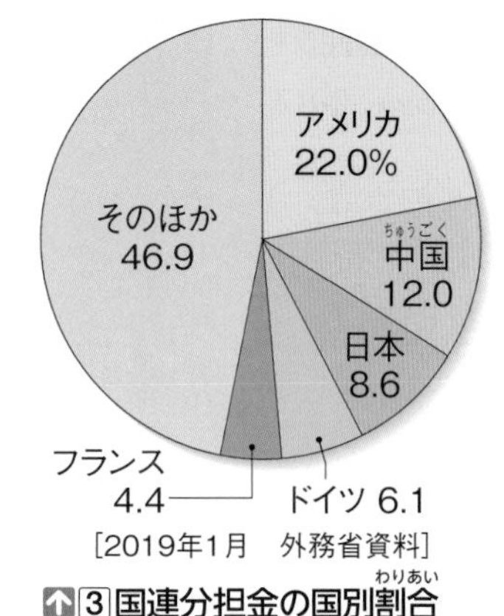

③国連分担金の国別割合

国際連合憲章（要旨）
- 世界の平和と安全を守り，国と国との争いは，話し合いによって解決する。
- すべての国は平等であり，世界の国々がなかよく発展していくことを考える。
- 経済や社会，文化などの点で起きた問題を解決するために，各国は協力する。

調べる

国際連合で，日本の人々はどのようなことをしているのでしょうか。

ことば

国際連合　経済，社会，文化，環境，人権などの分野で，さまざまな機関が活動しています。各機関の活動は，国連加盟国からの分担金だけでなく，人々の募金によってもまかなわれています。日本は，アメリカと中国についで多くの分担金を出し，国連の活動を支えています。

国際連合で働く人々　**国際連合**（国連）は，世界の平和と安全を守り，人々のくらしをよりよいものにするために，1945年に51か国が参加して発足しました。現在では，世界の約200か国のうち，193か国が加盟しています（2019年）。

国連には，ユニセフやユネスコなど，目的に応じた機関があります。全体にかかわることはすべての加盟国が参加する総会で決められます。

日本は，国連に1956（昭和31）年に加盟し，その一員として大きな役割を果たしてきました。国連の活動にかかわる日本人も増えてきています。

ユニセフについて調べたこと

ユニセフは，国連児童基金という国際連合の機関の一つです。戦争や食料不足による飢えなど，厳しいくらしをしている地域の子どもたちを助ける目的でつくられました。日本も戦後すぐのころ，ユニセフから給食の支援を受けていました。

ユニセフの活動は，民間の寄付金に支えられており，150以上の国と地域におよんでいます。わたしたちの学校で集められた募金も，その活動に役立っています。

4 ユニセフの支援を受けた給食

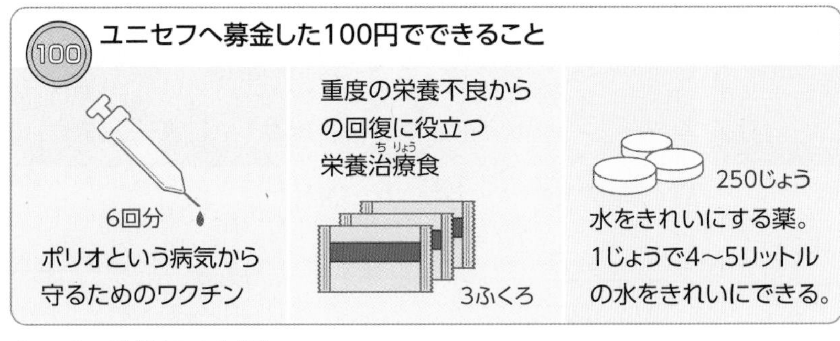

ユニセフへ募金した100円でできること
100
6回分
ポリオという病気から守るためのワクチン
重度の栄養不良からの回復に役立つ栄養治療食
3ふくろ
250じょう
水をきれいにする薬。1じょうで4～5リットルの水をきれいにできる。

（ユニセフ手帳2019年版）

世界で起こっているさまざまな課題を解決するための国連の活動の中には，戦争や紛争の予防や調停，復興支援などの活動があります。日本は，国連の一員として，世界各地の平和維持活動に参加してきました。

世界には，人類を絶滅させてしまう量の何倍もの核兵器があるといわれています。日本は，原子爆弾の被害を受けた世界でただ一つの国として，平和の大切さと軍備の縮小を世界の人々にうったえています。

5 ユネスコによる世界文化遺産のモアイ像の修復活動（チリ・イースター島，2004年）
ユネスコは，教育，科学，文化を通じて，平和な社会をつくることを目的としています。世界遺産

資料を収集する

国連の機関について調べる

【調べてみたい国連の機関を決める】
- 国連にはどのような機関があるのか，本やインターネットで調べ，その中から選ぶ。

【その機関に関する資料を集める】
- その機関のホームページを調べる。
- 資料請求を受けつけているところであれば，資料を請求する。
- 図書館などでも，資料を探す。

6 国連の平和維持活動に参加する自衛隊（2012年） 2012年から2017年まで，自衛隊は南スーダンにおいて道路の整備などを行いました。

さまざまな環境問題と取り組み

↑1 ツバルの首都・フナフティのふだんの様子

↑2 大潮のときに一面海水につかった様子

南太平洋にあるツバルは，標高が平均1.5mしかない島国です。地球温暖化によって海面が上昇すると，国全体が将来的に海にしずむおそれがあるといわれています。

↑3 大気のよごれが広がるペキンの様子（中国，2017年）

↑4 農園開発のために伐採された熱帯林（インドネシア，2017年）

調べる

豊かさと環境保全を両立させるために，世界や日本はどのような努力や協力をしているのでしょうか。

ことば

持続可能な社会　未来にわたって，より多くの人々が豊かな生活を送るためには，よりよい環境を残していくことが重要です。開発を進めながら環境を守っていくための努力や協力が，世界中で求められています。

持続可能な社会をめざして　地球温暖化や熱帯雨林の減少，砂漠化，酸性雨，水や大気のよごれなど，地球は今，多くの環境問題をかかえています。

豊かな生活と環境とのバランスを考えながら**持続可能な社会**を実現するためには，国連などの計画にもとづいた国際的な協力が必要です。

これまでも，国連を中心にさまざまな取り組みがなされてきました。2015（平成27）年に開かれた，国連気候変動枠組条約を結んだ国々の会議では，地球温暖化の対策について話し合いが行われ，温室効果ガスの削減目標などが定められました。

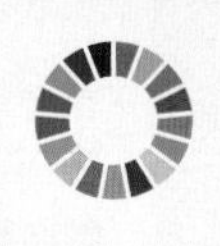

SUSTAINABLE DEVELOPMENT GOALS
1 貧困をなくそう
2 飢餓をゼロに
3 すべての人に健康と福祉を
4 質の高い教育をみんなに
5 ジェンダー平等を実現しよう
6 安全な水とトイレを世界中に
7 エネルギーをみんなにそしてクリーンに
8 働きがいも経済成長も
9 産業と技術革新の基盤をつくろう
10 人や国の不平等をなくそう
11 住み続けられるまちづくりを
12 つくる責任つかう責任
13 気候変動に具体的な対策を
14 海の豊かさを守ろう
15 陸の豊かさも守ろう
16 平和と公正をすべての人に
17 パートナーシップで目標を達成しよう

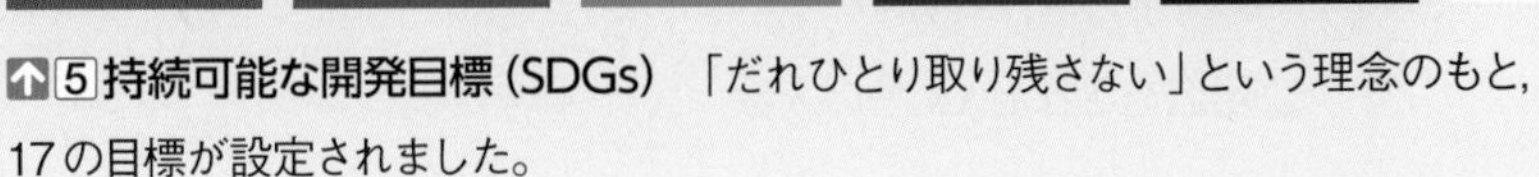
⬆5 **持続可能な開発目標（SDGs）**　「だれひとり取り残さない」という理念のもと，17の目標が設定されました。

目標1について調べよう。

どのような目標なのだろう。

1 ▶あらゆる場所のあらゆる形の貧困を終わらせる。

2030年までに，どのようなことをめざしているのだろう。

- 2030年までに，1日1.25ドル未満で生活する人々をなくす。
- 2030年までに，それぞれの国で貧困状態と定義される人々を半減させる。

日本もこうした国際的な取り組みに参加しています。また，国内各地でも，環境を守るためのさまざまな取り組みがなされています。

2015年，ニューヨークの国連本部で「持続可能な開発サミット」が開かれ，持続可能な社会を実現するための2030年までの行動計画が立てられました。その中心として示されたのが「持続可能な開発目標（SDGs）」です。ひろとさんたちは，それらの目標を見て話し合いました。

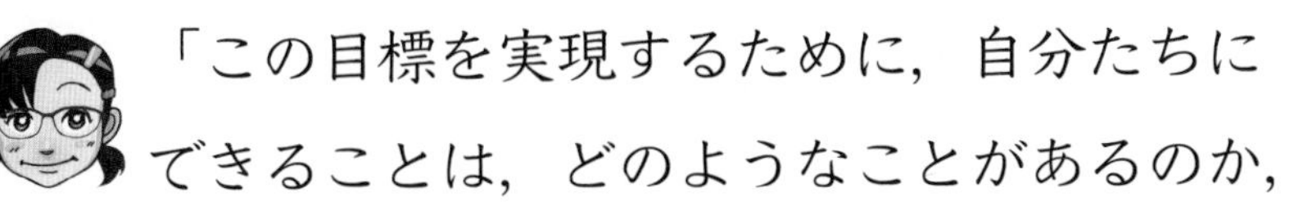

「それぞれの目標は，どのような内容なのかな。日本はどのようにかかわっていけばよいのだろう。」

「この目標を実現するために，自分たちにできることは，どのようなことがあるのか，考えたいです。」

やってみよう

①上の目標から二つ選んで，その内容を具体的に調べてみましょう。
②目標達成のために，世界や日本で行われている取り組みはありますか。
③自分たちにできることはありますか。

⬆6 **ユネスコスクールとして，環境保全に取り組む宮城県気仙沼市の小学校の子どもたち**（日本，2017年）

▶ 理科「生物と環境」

↖←1 2 **青年海外協力隊の活動**
リハビリの指導（左上，キルギス，2014年），
農作業の指導（左，ウガンダ，2009年）

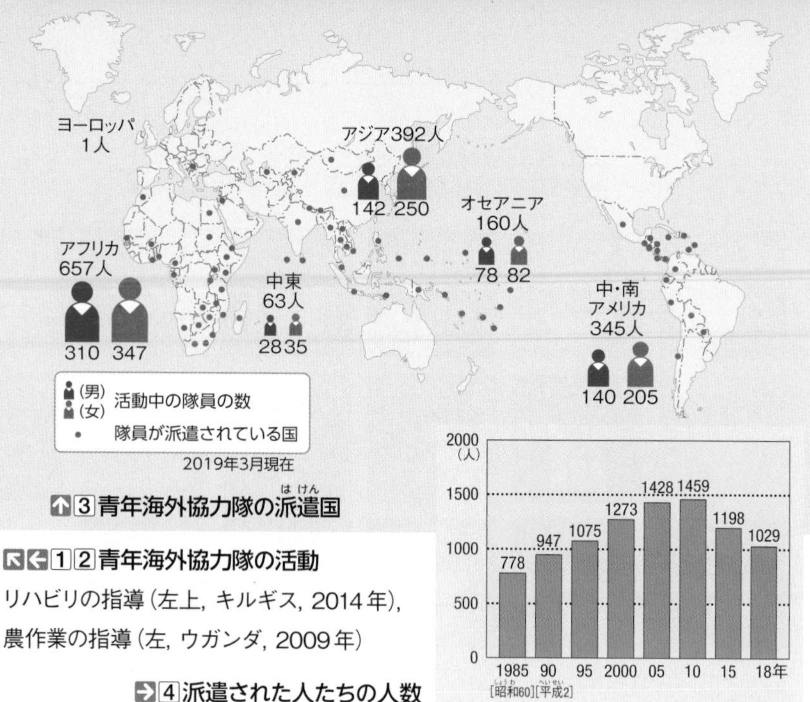

↑3 **青年海外協力隊の派遣国**

→4 **派遣された人たちの人数**

年	1985（昭和60）	90（平成2）	95	2000	05	10	15	18年
人数（人）	778	947	1075	1273	1428	1459	1198	1029

［青年海外協力隊資料］

国際協力の分野で活やくする人々　ODA（政府開発援助）は，政府による**国際協力**の活動です。社会環境が十分に整備されていない国に対し，資金や技術を提供しています。

青年海外協力隊は，日本のODAの活動の一つです。教育や医療，農業などの分野で自分の知識や技術を生かしたいという意欲をもった人たちが，アジアやアフリカ，中・南アメリカなどの発展途上の国や地域で活やくしています。

調べる

日本は，どのような国際協力の活動をしているのでしょうか。

ODAとNGOにかかわる人々は，どのような願いをもって活動しているのかな。

セネガルで活動した清水さんの話

わたしは，日本語教育の仕事をしていました。そのうち，学びたくても貧しくて学校に通えない人たちがいることを知り，学校以外の場でも無償で教えるようになりました。活動するときに大切なことは，必要とされる場所を探すことなのだと実感しました。

ことば

国際協力　十分な社会環境が整備されていない国に対し，産業や生活のための援助を日本などの先進国とよばれる国が行っています。また，政府の活動とは別に，支援が必要と思われる国へ行き，現地の助けとなる活動をする人々もいます。

5 洪水の緊急支援で医療活動を行う「AMDA」(アジア医師連絡協議会)の人々(ペルー, 2017年)

6 子どもたちに地雷や不発弾の被害にあわないための教育を行う「難民を助ける会」の職員(スーダン　カッサラ州, 2017年)

NGO(非政府組織)は, 国連や各国の政府から独立して活動している民間の団体です。その活動は, 主に募金や寄付金, ボランティアなどで支えられています。日本にも医療や環境など, 専門性を生かした分野で活やくしている多くの団体があり, 世界各地でさまざまな国際協力の活動を行っています。

これからは, ODAとNGOが, それぞれのよい点を生かして国際協力を進めていくことが期待されています。

NGOレポート

愛知県日進市にあるアジア保健研修所(略称はAHI)という団体に取材に行ってきました。AHIは, 40年ほど前に医師の川原啓美さんが設立した団体で, 人々の健康を守る保健・福祉関係の仕事をする人を育てるための研修事業をアジア各地で行っています。

Q 「医師の派遣や病院の建設ではなく, どうして研修事業なのですか?」

A 「アジアの国々には, 医師のいない地域がたくさんあり, 病気になっても簡単に病院に行くことができません。特に貧しい人々の健康を守るためには, 医師だけでは限界があり, 地域の事情をよく知っていて, みんなの生活のことまでいっしょに考える人の育成(人づくり)が必要だと考えたのです。」

7 パキスタンでの研修の様子(2017年)

学習問題

世界のさまざまな課題を解決するために，日本は世界と協力して，どのような活動をしているのでしょうか。

→ 紛争，環境問題，貧困など→解決するためには・・・

〈国連の活動〉
- ユネスコ
- ユニセフ
- 復興支援活動
- 平和維持活動
  例：自衛隊の活動
- 持続可能な社会の実現
- 持続可能な開発目標（SDGs）

〈ODA〉
- 政府による国際協力の活動
- 青年海外協力隊は日本のODAの一つ
  →発展途上の国や地域
  →教育や医療，農業などの分野

〈NGO〉
- 政府から独立して活動している民間の団体
- 世界各国でさまざまな国際協力
- 医療や環境などの分野

① 学習問題について調べてきたことを話し合おう。

りくさんたちは，今までに学習した，世界のさまざまな課題を解決するための国連を中心とした取り組みや日本の人々の活動をふり返りました。

すべての活動に共通していることは，どのようなことかな。

世界には，紛争や環境問題，貧困などの多くの課題がありました。
これらを解決するために，国連では，さまざまな取り組みをしていて，日本も国連の一員として大きな役割を果たしています。
世界の平和やよりよい地球環境を維持するために，国際協力の活動が続けられていました。国連だけでなく，NGOや青年海外協力隊などの活やくもありました。
国際社会の一員として，これからも世界の平和や発展に努力していかなければならないと思います。

まとめる

学習問題について調べたことをふり返り，自分の考えをノートにまとめましょう。

まとめの活動にことばを生かそう。

ことば
- 紛争
- 国際連合
- 持続可能な社会
- 国際協力

② 学習問題について考えたことを意見文にまとめて，発表しよう。

りくさんたちは，話し合ったり黒板にまとめたりしたことをもとに，ノートに意見文を書き，発表しました。

〈あおいさんのノート〉より

この学習を通して，世界には，さまざまな課題があることを知りました。例えば，紛争や難民，環境に関する課題などです。このことによって，多くの人々がとても困っていることがわかりました。

また，これらの課題を解決しようとする活動があることを知りました。国際連合にはいくつかの機関があり，募金を集めたり，遺産を修復したりする活動を行っています。国連事務次長の中満泉さんのように，核兵器をなくすための努力をしている人々がいることも学びました。

〈りくさんのノート〉より

NGOの人々は，医療や環境など，専門性を生かした分野で活やくしています。また，日本のODAの一つである青年海外協力隊の人々も教育や農業などの分野で活やくしています。世界のさまざまな国や地域で，いろいろな立場の人が，自然環境を守り，世界が平和でくらしやすくなるように努力しています。

わたしは，今までの学習をもとにしながら，持続可能な社会の実現のためにどのような取り組みが大切なのかを考えたいと思います。

完成した意見文を発信する

新聞の投書らんに出すのもいいかもしれないね。出す前にまちがいなどがないか，先生や家の人に見てもらうといいよ。

インターネットで意見を発信する方法もあるね。インターネットによる発信は，個人情報など，注意すべきことも多いから先生や家の人によく相談してね。

いかす

これからを生きる
わたしたちにできる
ことを考えましょう。

紛争や難民をなくすために　世界には，紛争などのえいきょうで難民となった人がいます。空爆などで家を失い，自分の国や地域にいられなくなって，ほかの国などににげなければならないのです。難民の半数は子どもであるといわれており，その中には親をなくしている子も多くいます。

難民には，国連などから物資が届けられていますが，十分ではありません。環境が悪くて健康を害する人や，栄養を十分にとることができない子どもたちも，世界中にたくさんいます。資金が足りなかったり，治安が悪かったりするために，地域の復興がなかなか進まないこともあります。

紛争などが起こったときには，戦いをやめるとともに，おたがいが平和になるための合意をし，紛争が起こらないように見守りながら，平和が続くようにしなければなりません。しかし，それが難しい場合が多くあります。

めいさんは，これまでに学んだことや友だちと話し合ったことをもとに，自分にできることを考えました。

●今できること，将来したいこと

情報を得る
テレビで難民の子どもたちの状況について知りました。

よりよい方法について話し合う
新たに知ったことや考えたことについて，まわりの人にも伝えましょう。

今できることを考える

将来どのようなことがしたいかを考える

めいさんたちが行うことにした国際協力の活動

●目標
難民の子どもたちに教育の機会を提供する活動をしている団体に寄付金を送る。

●そのための活動
学区内を回り，アルミの空きかんを集めて，お金にかえる。
近所の人にも協力してもらって，チャリティーバザーを開く。
学区内で募金をよびかける。

●今後定期的に行っていきたいこと
書き損じのはがきや使用済みの切手，衣服や絵本などを，引き取り活動をしている団体に送る。

国旗と国歌

⬆1 オリンピックでかかげられる各国の国旗（韓国，2018年） 表彰式（左）では，入賞した選手の国の国旗をかかげたり，国歌を演奏したりします。

⬆2 太平洋を横断する咸臨丸（1860年） 外国の港に入る船は，自分の国の国旗をかかげます。幕末に，太平洋を横断した江戸幕府の軍艦咸臨丸も，日の丸をかかげていました。日の丸は，江戸時代の末に，幕府が薩摩藩の提案をもとに，日本船の総船印と定めました。その後，明治政府は，この旗を日本の商船旗と定め，しだいに国旗としてあつかわれるようになりました。

ニューヨークにある国際連合の本部の前には，毎日加盟国の国旗がかかげられます。また，オリンピックでは，開会式で選手たちが自国の国旗を先頭に行進し，閉会式でも国旗を中心に人の輪ができる光景がよく見られます。

世界の国々は，それぞれの**国旗と国歌**をもっており，国民のまとまりの「しるし」として大切にしています。また，国どうしの交際では，おたがいの国の国旗と国歌に敬意を表し，友好を深めるために役立てています。

日本では，明治時代から使われ，慣れ親しまれてきた日の丸（日章旗）と君が代を，それぞれ国旗，国歌とすることが法律で定められています。

国旗や国歌は，その国の成り立ちと深い関係があります。

世界の国々の中には，言葉や習慣，宗教などのちがう民族がいっしょになってつくっている国もあり，国旗や国歌は，民族どうしの結びつきの「しるし」となっています。また，多くの民族で成り立っている国から，それぞれの民族が新しい国として独立したときには，自分たちの国旗や国歌をつくります。ほかの国に支配されてきた歴史をもつ地域の人々は，独立を勝ち取ったほこりと自信を，国旗や国歌に表し，自分たちの国を世界に向けて発信しています。

キーミーガーヨーハ。チヨニー
ヤーチーヨーニ　サーザーレ　イ
シーノ　イーハーオートーナーリ
テ　コーケーノ　ムースーマーデ

⬅3 君が代の楽譜（今の形になる前の楽譜） 国歌は，明治時代になって，外国との交際のうえで必要になり，つくられました。君が代は，古くからあった和歌に，雅楽（日本の伝統的な音楽）をもとにして曲をつけたもので，明治の半ばすぎから，小学校の儀式などを通じて広められました。君が代には，日本の国の末永い繁栄と平和を願う気持ちがこめられています。

ことば

国旗と国歌 世界の国々は，いずれも国旗や国歌をもっており，それぞれの国の人々の願いがこめられています。おたがいの国旗や国歌を尊重し，大切にあつかうことは，世界共通のルールです。

6 年生で学んだこと

最後に，これまでの学習をふり返り，これからの社会科の学習に生かしていきましょう。

1 わたしたちの生活と政治

国民生活と政治の働きは，どのようにつながっていたかな。

児童センター「あすぱる」

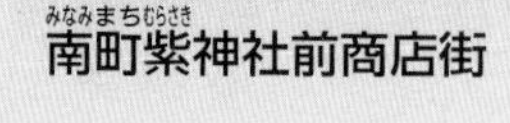

南町紫神社前商店街

日本国憲法の考え方が，わたしたちのくらしに反映されていることを学んだね。

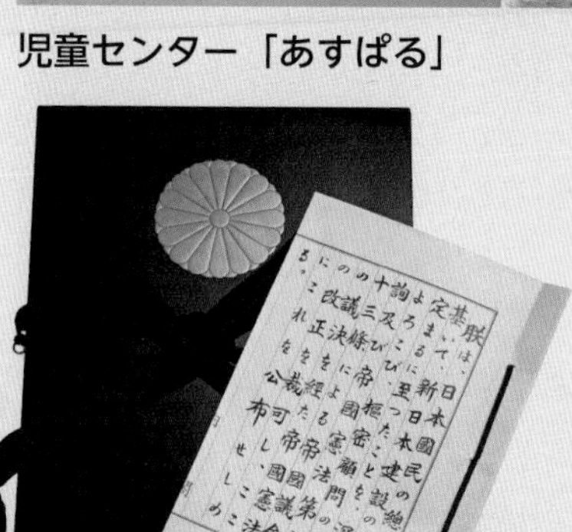

朕は、日本國民の總意に基いて、新日本建設の礎が、定まるに至つたことを、深くよろこび、樞密顧問の諮詢及び帝國憲法第七十三條による帝國議會の議決を經た帝國憲法の改正を裁可し、ここにこれを公布せしめる。

日本国憲法

わたしたちの願いを実現するために，政治は大切な役割を果たしていたね。

2 日本の歴史

日本の歴史では，どのような人物が活やくし，どのような文化遺産が今に受けつがれてきたのかな。

徳川家康

大久保利通

聖徳太子

近松門左衛門

さまざまな人物の働きによって，今の日本があるんだね。

3 世界の中の日本

日本は世界とどのようにつながり，どのような役割を果たしていたかな。

中国・シャンハイの雑技団

AMDA（アムダ）

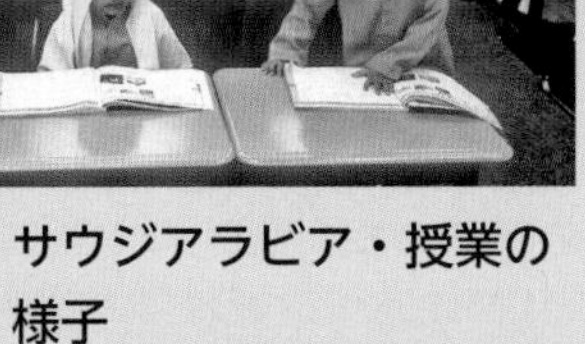
サウジアラビア・授業の様子

外国には，多様な文化や習慣があることを理解することが大切だね。

国際連合

世界の課題を解決するため，日本は国際連合の一員として重要な役割を果たしていたね。

法隆寺（ほうりゅうじ）

東照宮陽明門（とうしょうぐうようめいもん）

人々のくふうや努力によって生み出された文化遺産が，現在まで大切に受けつがれてきているね。

銀閣（ぎんかく）

富岡製糸場（とみおか）

中学校に向けて

中学校の社会科の学習をのぞいてみよう。

みなさんはもうすぐ中学生。中学校にも「社会科」があって，地理，歴史，公民という三つの分野で学習します。ここでは中学校の社会科を，少しだけのぞいてみましょう。

歴史

歴史では，人物や文化財が中心だった6年生の学習とちがい，日本の歴史を時代ごとにくわしく学習します。日本の歴史に関係する世界の歴史も学習します。現在につながる歴史の大きな流れがわかるといいですね。

↑❶中国の西安にある「兵馬俑坑」　広大な中国を初めて統一した，始皇帝の墓の近くにつくられています。 世

1・2年

世は世界遺産であることを表します。

↑❸マチュ・ピチュ遺跡　今から600年ほど前に南アメリカで栄えた文明の遺跡です。 世

着ている服がわたしたちとちがうね。川に入っているみたいだけれど，どうしてなのかな。

地理では，5年生の特色のある地域で見た国土の学習とちがい，日本を七つの地域に分けてくわしく学習します。世界も六つの地域ごとにくわしく学習します。日本や世界のすがたや人々のくらしがわかるといいですね。

地理

←❹ガンジス川でもく浴をするインドの人々　インド北部を流れるガンジス川では，多くの人々が川で水浴びをする光景が見られます。

3年

↑②江戸時代に使われたお金　徳川家康が発行を命令した小判です。

今のお金とはまったくちがうね。昔のことを勉強すると，今にどのように生かせるのかな。

問題を解決するってたいへんそうだね。中学生には，どのようなことができるのかな。

↑⑤国際連合（国連）の総会　何かを決めるときには，加盟している193か国（2019年）が，平等に１票ずつ投票します。

↑⑥大分県にある地熱発電所　日本では，これまでの発電方法とはちがう「再生可能エネルギー」を利用した発電が増えてきています。

公民では，政治や経済，国際関係など，現在の社会のしくみを理解し，日本や世界がかかえる問題をとらえ，その問題を解決する方策を考えていきます。中学校の社会科の学習を通して，「公民」という言葉の意味がわかるといいですね。

中学校の社会科への期待について，意見文を書こう。

中学校の社会科の内容が少しイメージできましたか。小学校の社会科の学習も役立つので，ふり返っておきましょう。

中学校の社会科では，何を学びたいですか。

中学校の社会科で考えたいこと

村山ゆうな

わたしは、中学校の社会科が、小学校と同じ名前なのに、地理、歴史、公民という三つの分野に分かれていることに興味をもちました。それぞれの分野には、小学校で勉強した内容も出てくるみたいなので、三年生から学んできた社会科の内容を生かしながら勉強を続けていきたいです。

六年生では、国連が「持続可能な社会」という考え方のもとで「持続可能な開発目標（ＳＤＧｓ）」を定めて、自分たちだけでなく未来の人たちの幸せも大切にしていることを学びました。中学校では、小学校では学ばなかった世界の歴史や、地球上のいろいろな場所、そこでくらしている人たちの生活、そして世界や日本で起こっている問題について学びながら、「持続可能な社会」をつくるためにはどうしたらよいか、自分なりに考えていきたいです。

さくいん　ことがら・地名・国名

ことがら

地名（日本）

国名（外国）